Juegos creativos
para tu hijo

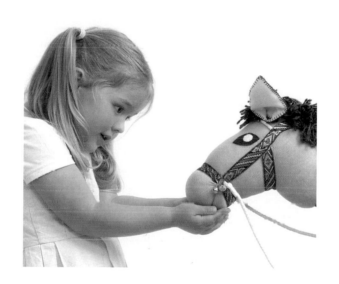

Juegos creativos
para tu hijo

Proyectos de juguetes
educativos para niños
de 2 a 4 años

Christopher Clouder

Janni Nicol

Grijalbo

Título original: *Creative Play for your Toddler*

Publicado por primera vez en Gran Bretaña en 2008 por Gaia, una división de Octopus Publishing Group Ltd

Nota de seguridad

Los juguetes de este libro han sido diseñados para niños de entre dos y cuatro años, y se deberían elaborar con el máximo cuidado y atención. Todos los hilos deberían ser de los que no se desprenden las fibras y, cuando se usan para el pelo, hay que coserlos bien y atarlos con fuerza. Es necesario secar la madera antes de usarla (al aire o en el horno) para evitar que se rompa y se produzcan grietas. Hay que lijar los bordes ásperos o afilados de los juguetes de madera. Si se acaba la madera con un aceite, se debe utilizar uno que no sea perjudicial si entra en contacto con la boca, como el aceite de linaza hervido o el aceite de oliva. Haga una revisión periódica de los juguetes para comprobar el desgaste y las roturas en general, sobre todo los que incluyen partes sueltas o pequeñas.

Descargo de responsabilidad

El editor no aceptará responsabilidad legal alguna por los accidentes o daños que puedan producirse por el uso de los objetos mencionados en este libro o al llevar a cabo alguno de los proyectos.

Se han realizado los máximos esfuerzos para encontrar a los dueños del copyright de los pasajes reproducidos en este libro. El editor se disculpa por cualquier error u omisión y agradecería que le fueran notificadas las correcciones que deberían incorporarse en futuras reimpresiones o ediciones de este libro.

Maquetación: Fotocomposición 2000, S.L.

ISBN: 987-84-253-4312-4

Impreso y encuadernado en China

G R 4 3 1 2 4

Para nuestros respectivos hijos —Emma, Malinda, Leoma y Kether; Emma y Alexandra—, por su inspiración.

Sumario

Introducción

El juego es vital para el ser humano, ya que sin él se vería muy limitado. Pese a que no podemos definir con precisión qué es el juego, sabemos que posee un gran valor en sí mismo y que es esencial para nuestra salud física, emocional y mental, además de tener otros fines prácticos y utilitarios. El juego también es un momento en el que no existen objetivos más allá de la propia actividad.

Aprender a través del juego

El juego es una actividad de aprendizaje mediante la cual experimentamos por primera vez la colaboración, el riesgo y la creatividad, y empezamos a descubrir las leyes físicas y la estructura del mundo. El juego fomenta nuestro desarrollo cognitivo y cinético, mejora nuestra capacidad de resolución de problemas, la sensibilidad estética y las habilidades lingüísticas. Nos enseña a gestionar nuestras frustraciones y alegrías, y refuerza nuestro sentido del propósito y la determinación. Refuerza la automotivación, nos ayuda a encontrar nuestra personalidad individual y facilita la empatía hacia los demás. El juego une la cabeza, las manos y el corazón. Es fundamental para todos y cada uno de nosotros y, a pesar de que puede ir cambiando a medida que maduramos, nunca desaparece por completo de nuestras vidas.

En los centros de primera infancia Steiner Waldorf (véase página 9), el juego se considera un pilar para el aprendizaje posterior. Para valorar los fundamentos sobre los que se cimienta dicha educación, vale la pena reflexionar sobre ciertas ideas relativas a la infancia a lo largo de la historia.

Espacio para aprender

Jean-Jacques Rousseau (1712-1778) introdujo la idea de «contrato social», un proceso que implica varias etapas y a través del cual un individuo se desarrolla hasta convertirse en miembro de una comunidad. Según Rousseau, cada etapa de desarrollo requiere una enseñanza adecuada y, dado que cada persona es diferente, el aprendizaje también debería tener como objetivo ajustarse al desarrollo del individuo. El educador ha de ejercer de guía, pero no debería ser autoritario. Rousseau sostenía que los niños se diferencian de los adultos en que son inocentes, sensibles y vulnerables, pero también tienen derecho a la libertad y la felicidad. Sienten un impulso interior a ser activos, que se encuentra en la raíz de su curiosidad incipiente. El aprendizaje es una consecuencia directa de la actividad física, así que los niños necesitan moverse para aprender y tienen derecho a disponer de un espacio donde hacerlo.

Johann Heinrich Pestalozzi (1746-1827) hizo suyas esas ideas de un modo práctico a principios del siglo XIX y fundó escuelas en las que era primordial la propia motivación del niño: se animaba a los niños a indagar en sus propias preguntas y encontrar sus respuestas. Pestalozzi intuía que el desarrollo cognitivo era solo una parte de la personalidad, y que era importante que el niño en conjunto se sintiera implicado. Sin embargo, ponía el acento en el trabajo, y no en el juego: «Lo importante en una buena educación es que el niño esté preparado para su entorno. Tiene que aprender a saber y hacer cosas que le reporten el pan para saciar el hambre, así como paz y satisfacción para el corazón». No debía haber castigos corporales y había que tratar a todos los niños con amor, sobre la base de que el amor materno es una manifestación de un amor divino mayor que nos mantiene alejados del «egoísmo absoluto».

El entorno de un niño

Friedrich Froebel (1782-1852) fue el primero en utilizar la palabra *kindergarten* [jardín de infancia] para referirse a un lugar de juego para niños donde se les animaba a jugar según su propia naturaleza y en un entorno adecuado. La metáfora *garten* [jardín] subraya el equilibrio entre la naturaleza y el desarrollo del niño, poniendo énfasis en las cualidades de libertad y alegría. Resulta interesante percatarse de que cuando nosotros, como adultos, recordamos nuestra infancia, la primera imagen que aparece del juego con frecuencia es la de estar activo en un entorno natural. Las instituciones de Froebel pretendían cultivar la vida familiar y proporcionar una guía adecuada a los padres. El juego estaba muy relacionado con fines educativos al ayudar al niño a integrar sus experiencias. Froebel, como Rousseau, consideraba a los niños buenos por naturaleza, una bondad que se podía fomentar a través de la educación.

Maria Montessori (1870-1952) puso énfasis en la importancia del desarrollo de los sentidos: primero sentir, luego aprender. Según Montessori, existen múltiples modos de que un niño aprenda, y cada niño necesita encararlo a su manera. El niño no es una pizarra en blanco ni un barril vacío, sino que tiene la capacidad inherente de descubrir por sí mismo, y todo lo que le rodea ejerce una profunda influencia en él. En su libro *La mente absorbente* escribió: «El niño no establece con su entorno la misma relación que nosotros. Los adultos admiran su entorno, pueden recordarlo y pensar sobre él; en cambio, el niño lo absorbe. No solo recuerda las cosas que ve, sino que estas forman parte de su alma. Encarna en sí mismo todo el mundo que lo rodea, el que ven sus ojos y oyen sus oídos. En nosotros las mismas cosas no provocan cambios, pero el niño se ve transformado por ellas». No obstante, Montessori no fomentaba

la creatividad, sino más bien la independencia y la autonomía. En otro lugar, al escribir sobre la imaginación de los niños, afirmaba: «Somos nosotros los que imaginamos, no ellos. Ellos creen, no imaginan. De hecho, la credulidad es una característica propia de las mentes inmaduras, carentes de experiencia o de conocimiento de la realidad». Desde este punto de vista, el juego es ante todo un instrumento para formar otras facultades y destrezas.

Rudolf Steiner (1861-1925) reconoció la importancia del juego libre y la imaginación en el contexto del niño

de disfrutar de espacio libre, los niños también necesitan sentirse arropados. Por lo tanto, es importante establecer un marco, por así decirlo, dentro del cual el juego esté organizado. Los acontecimientos diarios deberían ser habituales, con distintos tipos de juego que tengan un principio y un final reconocibles. Deberían ser rítmicos y repetitivos, para dar al niño límites y una sensación de estructura. Por ejemplo, utilizar una canción o un juego de dedos para empezar y dar por finalizado el tiempo de juego le da al niño una sensación de adecuación y autocontrol. Las comidas o tentempiés también pueden ofrecer un marco hogareño y natural para el juego. Es esencial contar con una estructura así si pretendemos que un niño se implique por completo en su desarrollo social-emocional, cinético y creativo. Un ambiente seguro ayuda a crear la confianza de un niño que está creciendo para introducirse en nuevos mundos.

Todos los niños tienen derecho a soñar despiertos y, sobre todo en el caso de los más pequeños, el juego sano necesita el contrapeso del descanso. En las sociedades prósperas estamos expuestos a un bombardeo incesante por parte de distintos medios, el exceso de estímulos de los aparatos electrónicos y la moda del entretenimiento incesante. El niño es susceptible a este caos de múltiples impresiones y necesita ayuda para encontrar su propio espacio alternativo para reconciliarse con todo ello. Hay que reforzar nuestros recursos internos para que nos permitan hacer frente a las duras exigencias del mundo exterior, y esos recursos se desarrollan de forma natural durante los años previos al inicio del aprendizaje formal. Dale a tu hijo espacio para respirar, por su bienestar mental y emocional.

Jugar a juegos sencillos con tu hijo le ayudará a comunicarse contigo. A partir de los 18 meses, el vocabulario de un niño aumenta de forma exponencial, y a los dos años incluye una mezcla de verbos y adjetivos. Sin embargo, la expresión facial, el movimiento, el comportamiento y los gestos siguen siendo formas de comunicación esenciales y, en cierto modo, pueden expresar más que las palabras.

A partir de aproximadamente los 22 meses, un niño puede asociar de forma muy creativa imágenes mentales, mientras que antes eran impresiones independientes entre sí. Palabras y expresiones de conexión, como

en desarrollo, y estos se han convertido en elementos centrales de toda práctica en los centros de primera infancia Steiner Waldorf. Se parte de la idea según la cual los niños tienen propensiones y dones que, si se potencian mediante el juego en grupo o el *kindergarten*, permitirán que el niño se convierta en un individuo seguro, responsable y libre. Una infancia prolongada proporciona una base excelente para este desarrollo. Encontrar su propio equilibrio interior mediante el juego a la larga prepara a los niños para la vida adulta y les permite alcanzar todo su potencial en el mundo.

Juego creativo en casa

Este libro enseña a aplicar las teorías de Steiner sobre la primera infancia a tus niños de entre dos y cuatro años. Si observas a tu hijo y dejas que tus sentimientos naturales de cariño te guíen, puedes ayudarle a experimentar la infancia en toda su plenitud. Además

Los centros de primera infancia Steiner Waldorf

Estos centros proporcionan un ambiente en el que la personalidad del niño puede desarrollarse de una manera adecuada a su edad, y crean un escenario donde los niños pueden sumergirse en las experiencias vitales a través del juego creativo y en libertad. Un niño empieza aprendiendo mediante la imitación, y de acuerdo con esto, los centros Steiner Waldorf se aseguran de que lo que rodea al niño es digno de imitación. El espacio se crea consciente y estéticamente para que los niños jueguen sin la guía de los adultos; estos se limitan a asegurar que la atmósfera sea adecuada para que los niños se sientan seguros, amados y libres de obligaciones, a fin de que su imaginación ilimitada pueda reinar sin traba alguna.

«también», «con», «junto», aparecen en el habla e influyen en cómo juega. Realiza nuevas asociaciones, y tu hijo las expresará y desarrollará más a través del juego. Puedes ayudar en este proceso de adquisición hablando con claridad y de forma directa y evitando la charla sin importancia. Disfruta de sus palabras como si también fueran nuevas para ti. También resulta beneficioso fomentar el movimiento en el juego. Ayuda a la formación del lenguaje de tu hijo, ya que la manera de moverse en esa edad temprana influye en gran medida en el desarrollo de redes en el cerebro.

El ritmo y el entorno adecuados

No deberías presionar a tu hijo, sino dejarle seguir sus procesos mentales a medida que surgen. Si quieres que tenga un desarrollo sano, necesita tiempo para crecer hacia el pensamiento. Steiner subraya una y otra vez la importancia de esta idea. En su libro *Extending practical medicine*, afirma: «Se ha de saber que las fuerzas comunes de pensamiento del ser humano son forma refinada y fuerzas de pensamiento. Un elemento espiritual se revela en la forma y el crecimiento del organismo humano. Y ese elemento espiritual luego aparece en el curso de la vida posterior como el poder espiritual del pensamiento». El niño aún está creciendo y es vulnerable; no debería ser presionado hacia la abstracción y la formalización de la experiencia en esta etapa, sino que más bien, con tu ayuda y comprensión, debería disfrutar y explorar las experiencias a medida que topa con ellas. Su pensamiento aún está unido a su cuerpo y sus fuerzas de crecimiento, responsables de su vivacidad y frescura. Has de respetar esa sabiduría de la naturaleza y permitir que el desarrollo de tu hijo siga su propio curso, reforzarlo en vez de intentar suplantarlo con un modo de pensamiento prematuro, pues sobre esta base descansa nuestra lógica adulta. El pensamiento abstracto llega a su debido tiempo si sabemos confiar en la naturaleza de la infancia.

Para que un niño se desarrolle de forma sana, su hogar y su centro de cuidado tienen que apoyarse mutuamente. Cuanto mejor sea el entendimiento entre los adultos responsables, más positiva será la situación para el niño. El cariño, la calma, el interés, la amabilidad, el ritmo, el humor y la empatía aplacan las inquietudes de convertirse en un individuo que, a su debido tiempo, se enfrentará inevitablemente a exigencias y elecciones mucho mayores. El modo en que les demos la bienvenida a nuestros niños al mundo puede aportarles recursos que duren toda una vida y que, a su vez, ofrezcan como padres a futuras generaciones. Esta idea quedó expresada de forma concisa en el informe elaborado en 1981 por la Comisión de Ayuda a la Familia de Suecia. «Es básico para una buena sociedad que los niños sean bienvenidos, se les proporcione un buen entorno durante la infancia y que toda la sociedad se preocupe por ellos. Los niños tienen derecho a unas condiciones de vida seguras que potencien su desarrollo. La educación preescolar desempeña una función importante en la vida de los niños. Ofrece un programa global y es la fuente de estímulo en el desarrollo del niño. Les da la oportunidad de conocer a otros niños y adultos, y de formar parte de una experiencia de compañerismo y amistad. Es un complemento a la educación que el niño recibe en casa».

Así, demostramos nuestra buena acogida tomando en serio el juego del niño, ya sea en casa o en un centro de primera infancia, y, al hacerlo, también le enseñamos al niño que lo tomamos en serio.

El yo

El yo

Hasta aproximadamente el final del segundo año, el niño vive en un eterno presente. Más adelante, junto con un uso rudimentario de la gramática del lenguaje, llegan nuevos conceptos del tiempo. Aparecen frases que sugieren un futuro y un pasado, y eso demuestra que la mente de un niño es capaz de crear representaciones. En otras palabras, puede concebir algo no presente, como un acontecimiento que acaba de suceder.

Despertar la conciencia

Desde el último trimestre del segundo año hasta el inicio de su tercer año, un niño desarrolla la habilidad de combinar esas representaciones. Puede hacer preguntas del tipo «si…» sobre alguien que no está presente o responder a disyuntivas como: «¿Prefieres beber agua o leche?», aunque ninguna de las dos opciones estén visibles en ese momento. Entiende la palabra «yo»: aumenta la sensación del futuro próximo, y de ello se deriva una comprensión de la identidad. El niño se da cuenta de que es el mismo yo que hace un rato y que será en el futuro inmediato. Es un momento de capital importancia.

A medida que el «yo» del niño se vuelve consciente, hacia los tres años, su relación con el mundo sensorial también se transforma. Ya no está sujeto solo a sentimientos en términos de querer o no querer, que tienen su origen en los deseos y necesidades corporales, sino que ahora puede empezar a contestar de un modo más comprensivo. Despierta el poder de la fantasía, y si un objeto inanimado se cae, el niño puede describirlo diciendo que está cansado y necesita dormir, o las ramas que se mueven al viento pueden «saludar» al niño. Las fuerzas que participaron en la formación de su cuerpo —desarrollar los sentidos, sacar los dientes de leche, poder levantarse y caminar, la primera adquisición del lenguaje y la formación del cerebro— a partir de los dos años y medio en adelante se orientan gradualmente a otros objetivos. El cuerpo del niño ha encontrado su forma definitiva y cada vez está más atento.

El aumento de la conciencia del niño se puede observar a través del juego y del deseo del niño de ejercitar sus nuevas capacidades de pensamiento: busca su propio camino de desarrollo a través de la acción. Esta fase puede ser malentendida y menospreciada por los adultos que suponen que el niño está preparado para una forma de aprendizaje puramente cognitiva. De hecho, el proceso está en curso y el cuerpo aún tiene que recorrer un largo camino hasta llegar a la madurez. El niño equilibra de forma natural las exigencias de sus órganos sensoriales en desarrollo y las de su conciencia en expansión, por eso un niño pequeño necesita dormir tanto. Necesita que respetemos esta delicada condición y que no la desestabilicemos con cargas educativas inadecuadas.

Los ritmos de la vida

Rudolf Steiner distinguía cuatro dimensiones, o aspectos, del ser humano: el cuerpo físico, el cuerpo etéreo, el cuerpo astral y el «yo» o ego (véase página 14). Todos estos aspectos tienen ritmos de desarrollo, que se perciben con mayor facilidad al pasar por la infancia y la adolescencia. Los cambios físicos, más evidentes, son sintomáticos de cambios más profundos. Cruzamos

ciertos umbrales cada siete años: el primero es el cambio de dentadura al perder los dientes de leche; el segundo, el tortuoso camino hacia la adolescencia.

Nuestro cuerpo físico se prepara en el vientre materno y nace, por así decirlo, en el instante de nuestro parto. En este contexto la palabra «nace» connota una liberación y una mayor independencia. Nuestro cuerpo etéreo (fuerzas vitales) madura a lo largo de nuestro primer período de siete años y, a su vez, vive su propio nacimiento hacia los siete años, así como nuestro cuerpo

astral (rasgos emocionales y de conducta) nace aproximadamente a los 14 y nuestro «yo» o ego aparece por completo a los 21.

La transformación y la conciencia del yo hacia los tres años mantienen una relación fundamental con los ritmos vitales del aspecto etéreo. Los niños disfrutan y se desarrollan con la repetición, ya que, paradójicamente, esta refuerza la identidad y ayuda a desarrollar las capacidades necesarias para enfrentarnos a nuestra libertad como individuos. La investigación neurobiológica más reciente, según resume J. Chilton Pearce en *Evolution's End*, afirma lo siguiente: «Los niños quieren oír la misma historia una y otra vez, no para "aprenderla" —la mayoría de niños recuerdan la historia después de oírla una vez—, sino porque la repetición hace que los campos neuronales interconectados que intervienen en el flujo de imágenes se cubran de mielina… Así, cuantas más historias y sus repeticiones se cuenten, más campos neuronales y conexiones entrarán en juego. Cuanto más fuerte y permanente sea la capacidad de interacción visual-verbal, más poderosa se vuelve la conceptualización, imaginación y atención». Las canciones infantiles, los cuentos y los juegos de dedos contienen elementos repetitivos y ritualizados que a los niños no les resultan en absoluto aburridos y que les ayudan a ganar autoconfianza.

Al hacernos eco de lo etéreo en nuestras acciones con el niño, contribuimos a su salud a largo plazo y le permitimos expresar sus sentimientos a través del juego.

Ser nosotros mismos

Por lo general, los recuerdos conscientes empiezan cuando nos llamamos «yo» a nosotros mismos y estamos muy ligados a quienes somos o quienes pensamos que somos. Ser capaz de decir «yo» es al principio una experiencia feliz, que más adelante provoca preguntas y dudas. Nuestro sentido de la identidad siempre está evolucionando, en realidad nunca es una definición fija. Podemos ayudar a nuestros hijos en sus futuras luchas con identidades fluidas e interactivas trabajando la relación yo-tú en el juego, cuando la experiencia es nueva y agradable en la primera infancia. Observa qué ocurre cuando introduces juguetes como los conejos de punto (página 16) o la muñeca blanda (página 20), que encarnan conceptos de familia, educación y relaciones. Al ser criaturas fundamentalmente sociales, necesitamos a las personas que nos rodean para ser nosotros mismos del todo. Por lo tanto, los primeros pasos hacia una conciencia del ego son cruciales para las relaciones que experimentamos más adelante en la vida. Para ayudar a un niño, el adulto debe mostrar fiabilidad, un interés afectuoso y una actitud positiva ante la vida. También es importante tomarse en serio la definición de Friedrich Schiller del ser humano. En *La educación estética del hombre*, escribió: «El ser humano solo es del todo humano cuando juega, y solo juega cuando es completamente humano». A través del juego, todos, adultos y niños, podemos encontrar la capacidad de adaptación que reside en el centro de nuestro «yo».

La conciencia de «yo soy yo»

El psicólogo del desarrollo Ewald Vervaet ofrece algunas ideas útiles sobre la llegada de la conciencia de «yo soy yo». A lo largo de su segundo año, un niño puede preguntar si un pájaro ha puesto un huevo, sin llegar a la idea de que todos los pájaros ponen huevos al asociar su observación con experiencias previas. Sin embargo, en el transcurso de su tercer año aparece el concepto general de que todos los pájaros ponen huevos, lo que demuestra que el contacto del niño con su entorno ha sufrido un cambio.

Durante los primeros meses de vida, el niño tiene lo que se conoce como un contacto pasivo con su entorno. Representada por la asimilación a través de la boca, se trata de una conciencia participativa en la que no existe división alguna entre el yo y el otro. A partir de los cuatro meses se produce un contacto cada vez más físico, que se manifiesta principalmente a través de las manos. Poco después del primer aniversario llega el contacto atento, cuando un niño puede garabatear con un lápiz de color. Entre los 18 meses y los dos años, aparece el contacto mental: el niño ve un árbol y sabe, por una fuente externa a él, que se llama árbol. A partir de pocos meses después del segundo aniversario hasta el tercero, aparece el contacto representativo con el entorno del niño: puede hablar de acontecimientos recientes y tener ideas del futuro próximo. Y entre los tres y los cuatro años y medio, el niño puede establecer un contacto conceptual, asociar diferentes entidades y considerar si la conexión posible está relacionada con la realidad o no. Busca conexiones, pregunta cómo encajan las cosas y se ve también como una entidad con conexiones.

El niño ha trabajado por sí solo hacia esta conciencia de «yo soy yo» y, como una iluminación, puede sobrevenirle la increíble revelación de que vivimos también entre otros «yoes». Ha percibido diferencias: que sus hermanos y padres no son iguales que él. El prototipo de «niño terrible de dos años» se debe a que el niño empieza a decir «aquí estoy», aunque el mensaje aún no se verbalice. Con esta conciencia de uno mismo, un niño puede desarrollar sus puntos fuertes y oponerse a sus debilidades. Nuestra conducta como padres hacia el niño y los demás ayuda a determinar, junto con los factores culturales y sociales que nos envuelven, la individualidad de ese niño que, a partir de entonces, se revelará y desarrollará en el contexto social.

Aprender a confiar en tu hijo

Cuando juegues con tu hijo, es importante que tengas en cuenta estas etapas para que tus expectativas se

correspondan con su progreso interno. Tienes que evitar la tentación de forzarle a seguir un proceso acelerado. Cada paso necesita su tiempo para ser asimilado por completo, a fin de poder dar el siguiente paso sobre una base sólida y fructífera. La clave es confiar en tu hijo, igual que él se fía de ti. Ser uno mismo nunca es sencillo, ya que todos nuestros aspectos están interrelacionados. El verdadero equilibrio es una virtud muy poco frecuente. Todos nos movemos, adelante y atrás, a través del tiempo y el espacio, de los sentimientos y los pensamientos. Cuanto más sano esté nuestro núcleo interno, mejor podremos enfrentarnos a las vicisitudes y alegrías de la vida. Tu hijo se está preparando para esa aventura, y la preparación de su autodescubrimiento necesita tu apoyo sensible porque sus efectos duran toda la vida.

Conejos de punto

Hacer punto es disfrutar de una especie de vuelta al pasado, y este proyecto tan sencillo es una buena opción para los principiantes. No es una actividad que tu hijo quiera imitar porque, al parecer, sabe por instinto que es demasiado complicado para intentarlo. Sin embargo, incluye varios aspectos que son importantes para el niño que se está desarrollando.

MAGIA CREATIVA

Para empezar, el ritmo del ruido de las agujas al chocar entre sí resulta reconfortante para tu hijo. Hacer el cuadrado requiere esfuerzo, y terminar el patrón (pese a las interrupciones) exige determinación: la presencia de un adulto que trabaje en algo creativo le ofrece a tu niño una imagen maravillosa de la que aprender cuando crezca. Para él, es una experiencia mágica ver que se puede crear un conejo con un cuadrado de punto. Además, el uso de materiales naturales —lana de algodón natural y relleno de lana suave, por ejemplo,

en vez de nailon o acrílico— permite que el niño desarrolle el sentido del material de calidad.

TEJER UNA FAMILIA

Una familia de cualquier tipo, animal o humana, representa una «totalidad» para nuestro niño. El bebé tiene una mamá y un papá, y siempre hay alguien que cuida de los demás. Este ideal es cierto para todos los niños, incluidos los que solo cuentan con un progenitor, ya que se necesitan dos para engendrar a un niño. Una vez hayas creado una familia de conejos sencilla, puedes utilizar el patrón para ayudar a que la familia crezca sin parar. Es fácil variar para hacer conejos de distintos tamaños, en una gama de diferentes colores y puntos. Por ejemplo, un conejo con el punto del revés en el exterior tendrá una textura como de borla, mientras que los que tienen en el exterior el punto normal serán suaves. Puedes variar el estilo y el color de las colas, y añadir orejas rectas o caídas. Según la manera de dar las puntadas para la forma final, el conejo puede estar sentado, de pie o tumbado, como prefieras. Por último, puedes hacer que los conejos sean firmes o suaves y blandos, según cómo los rellenes.

TIEMPO DE JUEGO

A tu hijo le encantará crear pequeños escenarios para la familia de conejos, y tú puedes participar en todo ello. Extiende una tela verde en el suelo y juega a «los conejos que se conocen», presentando a los conejos entre sí por

Recomendaciones

- Tejer conejos utilizando diferentes grosores de lana (recuerda cambiar el tamaño de las agujas de tejer según la lana).
- Utilizar distintos colores de lana.
- Usar tipos de puntos variados (sencillo, punto del revés o de media) para obtener diferentes texturas.
- Tejer las formas finales de una manera distinta para crear distintas posturas.
- Para los conejos pequeños, tejer cuadraditos de lana fina, utilizando agujas más pequeñas.
- Hacer distintas colas con bolas de lana o, para los conejos más grandes, pompones.

turnos ante la presencia de tu niño. Puedes, por ejemplo, construir madrigueras y cuevas para que los conejos se escondan, así como montículos para que los salten, y los conejos pueden visitar a otros animales como los caballos de fieltro (véase página 36), que viven en el campo de al lado. También puedes alimentar a los conejos con zanahorias imaginarias y darles de beber agua utilizando platitos de conchas. Este juego que se desarrolla en el suelo te ofrece la oportunidad de interactuar de una forma tranquila e imaginativa con tu hijo, acompañándolo de una conversación sencilla del tipo «Buenos días, conejito, ¿cómo te encuentras hoy?». En muy poco tiempo, podrás disfrutar viendo que tu hijo repite este juego en silencio él solo, sin necesidad de tu intervención, y que lo va ampliando poco a poco con la finalidad de llegar a incluir de esta manera otros juguetes.

Hacer un conejo de punto

Si no te consideras bueno haciendo punto, puedes cortar el cuadrado inicial de punto y dos formas de oreja de un jersey o chaqueta viejos. Asegúrate de coser todos los bordes con cuidado antes y después de cortar; de lo contrario, se deshilachará.

Cómo hacerlo

Necesitarás

Hilo de punto natural
    y sin teñir

Dos agujas de punto
    (de unos 3,5 mm)

Aguja de coser

Hilo de coser

Alfileres

Lana de oveja cardada
    y sin tejer*

Tijeras afiladas

1 Hacer un cuadrado de 16 cm de punto: 1 fila normal, 1 fila del revés (monta unos 40 puntos según el grosor de la lana).

2 Hacer dos orejas de punto, montando 6 puntos y tejiéndolos todos normales hasta aproximadamente los 6 cm de largo; luego reducir las dos filas siguientes en 2 puntos. Cerrar los puntos restantes y coser el extremo suelto de hilo en la oreja. Cortar con precisión.

3 Dar forma al conejo. Coser todas las esquinas del cuadrado de punto unos 5 cm para formar las cuatro patas. Si los puntos del revés quedan en el interior, el conejo acabado tendrá una textura suave. Si están en el exterior, el conejo será rugoso.

4 Utilizar puntos sencillos para coser el extremo montado y tirar suavemente para juntar el hilo y crear la cabeza del conejo.

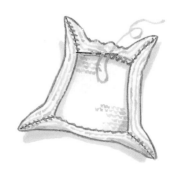

* Cardar la lana de oveja sin tejer antes de usarla estirando con suavidad para separar las fibras densas. Un «cardador» manual parecido a un peine acelera el proceso.

5 Desde ese borde cosido, seguir cosiendo una línea central (el estómago del conejo) hasta las patas traseras. Dejar un espacio abierto para rellenarlo.

6 Rellenar el conejo generosamente con lana de oveja sin tejer, sobre todo en la zona de la cabeza. Atar un trozo de lana doble alrededor del cuello del conejo, tirar con fuerza y hacer un nudo para formar la cabeza. Atar debajo de la barbilla.

7 Doblar las patas traseras hacia delante, debajo del cuerpo, y prender alfileres. Erguir el extremo abierto con puntos sencillos y coser en su sitio. Coser las patas traseras al cuerpo, luego retirar los alfileres. Dar forma al cuerpo, redondeando la parte trasera.

8 Para hacer un ojo, dar un par de puntadas en el sitio para asegurar la lana; luego coser hasta el otro lado de la cabeza y estirar con suavidad para marcar la zona del ojo.

9 Coser las orejas, colocando las esquinas juntas por el extremo que se cose para poder levantarlas si se quiere.

10 Hacer una cola enrollando hilo de punto en el dedo, o utilizando un pequeño pompón o un trozo de lana de relleno, y coserla en su sitio.

Muñeca blanda

A medida que un niño pequeño o bebé cobra más conciencia de sí mismo, también es más consciente de lo que ocurre a su alrededor. También se vuelve más objetivo con lo que le está sucediendo. Empieza a sentir sus limitaciones, su piel externa. Percibe las vicisitudes cotidianas con mayor profundidad, y es capaz de comunicártelo mediante el habla.

IMITAR LA VIDA A TRAVÉS DEL JUEGO

Mientras observa la rutina familiar, tu hijo empieza a querer «hacer» él las cosas, actuar a partir de sus observaciones, «jugar» por primera vez. Empieza a representar situaciones que ha visto y sentido y, utilizando su imaginación y fantasía, puede ampliar su juego e incluso jugar con otras personas o a su lado.

Para tu hijo, una muñeca es un juguete con una entidad propia. Puede expresar sus propios sentimientos, ideas, deseos y acciones a través de la muñeca y a ella: su juego se convierte en una representación de sus observaciones de la vida. Es el momento de que vosotros como padres os retiréis a observar el juego de vuestro hijo, mientras ensaya y practica lo que ha visto, sentido y oído.

Como tu hijo puede darle a esta sencilla muñeca sus expresiones, haz que los rasgos del juguete sean sencillos. La muñeca tiene brazos y piernas, y es lo bastante firme para vestirla y desvestirla, pese a ser también suave y cálida. Puedes añadir pelo utilizando lana de un color parecido al del pelo de tu hijo, y hacer que coincida el color de los ojos, lo que hará que tu hijo establezca una relación aún más estrecha con su muñeca. Para una niña, haz una muñeca con el pelo más largo, que se pueda peinar de distintas maneras.

Una muñeca blanda es absolutamente real para tu hijo. Tiene un nombre, un carácter, es todo un personaje. Siente dolor, llora, es feliz y juega. Disfruta cuando la visten y la desvisten, si le dan comida cuando tiene hambre y si la acuestan cuando está cansada.

Los niños y las niñas juegan de forma distinta, y la diferencia se agudiza a medida que se hacen mayores. Cuando empiezan a jugar de forma imaginativa, ambos juegan a las casitas, imitando a la madre y el padre. Sin embargo, cuando llegan a los tres o cuatro años, una niña tiene tendencia a disfrutar jugando a ser mamá con su hijo, mientras que un niño necesita una muñeca que le dé la oportunidad de expresar sus sentimientos a otra persona, que entienda y sienta, de forma incondicional, todo lo que él siente. Un niño también necesita practicar sus habilidades educativas igual que las niñas, y tendrá suerte si puedes apoyar positivamente su relación con la muñeca para que pueda empezar a relacionarse a través de este juego emergente.

Consejos

- La cabeza debería medir aproximadamente un tercio de la longitud del cuerpo, así que hay que ajustarlo adecuadamente cuando se hacen muñecas de distintos tamaños.
- Cambiar el pelo o la ropa para que sea un muñeco o una muñeca.
- Los ojos y la boca pueden estar simplemente marcados, y así dejar libertad a tu hijo para imaginar los sentimientos de la muñeca.
- Se puede utilizar el tejido de un chaleco o una camiseta vieja para la tela de algodón.

«La muñeca favorita puede convertirse en una especie de alter ego del niño, dotada de una parte del sentido del yo emergente del niño».

Rahima Baldwin Dancy, *Usted es el primer profesor de su hijo*

Hacer una muñeca blanda

Puedes ajustar las medidas indicadas para este proyecto a fin de adaptarlas a la tela que tengas disponible o de crear muñecas de distintos tamaños. En cada caso, asegúrate de mantener las medidas proporcionales.

Cómo hacerla

Necesitarás

Lana de oveja cardada
y sin tejer*

Hilo

Tijeras de costura

Tela de algodón blanca

Aguja de coser

Hilo de coser fuerte

Tela de algodón del color
de la piel

Alfileres

Aguja de bordar

Hilo de bordar de color rojo
y azul o marrón

Lana de color para el pelo

* Cardar la lana de oveja sin tejer antes de usarla, estirando con suavidad para separar las fibras densas. Un «cardador» manual parecido a un peine acelera el proceso.

1 Hacer una cabeza firme para la muñeca utilizando lana sin tejer para formar una bola prieta de unos 10 cm de altura. Envolver la bola con un cuadrado de lana sin tejer y atarlo con hilo para eliminar el exceso. Dejar algo de lana sobrante colgando, ya que le dará estabilidad al cuello.

2 Envolver la cabeza en un cuadrado de tela blanca de algodón y atarlo con hilo, dejando de nuevo el sobrante colgando.

3 Decidir qué parte de la cabeza será la cara y alisar los pliegues que haya (sobre todo alrededor de la barbilla y el cuello) hacia atrás. Marcar la cabeza a la altura de los ojos enrollando hilo fuerte alrededor de su circunferencia y empujando hacia dentro. Atar un segundo retal de algodón al primero, con fuerza, donde estaría la oreja derecha. Estirar el hilo por encima de la parte superior de la cabeza y volver a atarlo al primer hilo, con fuerza, donde estaría la oreja izquierda. Enrollar ahora el hilo por debajo de la cabeza en la parte trasera y volver al punto de partida. Atarlo bien.

4 Arreglar la lana sobrante de debajo de la cabeza hasta darle forma de cilindro para crear el cuello de la muñeca, y coser las capas con cuidado en la parte trasera.

5 Envolver la cabeza con una tela del color de la piel, con el grano de la tela de arriba a abajo de la cara. Superponer los extremos en la parte trasera de la cabeza, poner debajo el borde más feo y hacer una costura vertical. Atar el cuello con hilo fuerte y darle una puntada en su sitio.

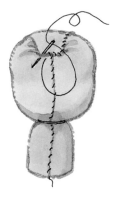

6 Estirar el borde superior de la tela del color de la piel hacia la parte trasera de la cabeza, colocar debajo los bordes más feos y coser con cuidado para asegurarlo.

7 Marcar los ojos y la boca con alfileres. Utilizando hilo de bordar de color azul o marrón para los ojos y rojo para la boca, coser a través de la cabeza, desde la parte delantera hasta el lateral, para marcar cada puntada. Hacer que la cabeza sea sencilla. Retirar los alfileres.

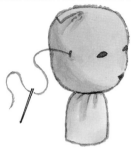

8 Cortar un pedazo de tela elástica del color de la piel para los brazos, de unos 30 x 11 cm. Doblarlo por la mitad a lo largo, con los lados derechos juntos. Coser las costuras como se muestra a continuación, dejando un hueco en medio de 8 cm para el cuerpo. Cortar una V en el pliegue para el cuello, tal como se indica. Darle la vuelta a los lados derechos.

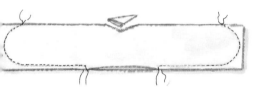

9 Cortar otro pedazo de la misma tela para las piernas y el cuerpo, de unos 22 cm de ancho por 28 cm de profundidad. Doblarlo por la mitad a lo ancho, con los lados derechos juntos, y hacer una costura en el borde largo para formar un tubo. Pararse en la mitad, donde empezarán las piernas.

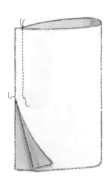

10 Girar la tela del cuerpo/pierna para que la costura quede detrás, y hacer costuras para las piernas y los pies como se muestra en la ilustración. Empezar las piernas a unos 14 cm a partir del extremo inferior, y las curvas de los pies a unos 3 cm del borde inferior. Cortar con cuidado entre las dos piernas y alrededor de los pies, y darle la vuelta a la tela.

11 Rellenar las piernas, empujando la lana con firmeza hacia los pies. Doblar cada pie un poco hacia arriba y coser una línea que cruce la parte frontal del pie, tal como se indica en la ilustración, para ayudar a que se aguante. Tener cuidado de no coser todo el pie. Rellenar el resto de la pierna y dejar una «articulación» suelta en la parte superior que permitirá que la muñeca se siente. Prender un alfiler y luego coser la articulación, como se indica más abajo, cosiendo desde la parte frontal a la trasera. Retirar los alfileres.

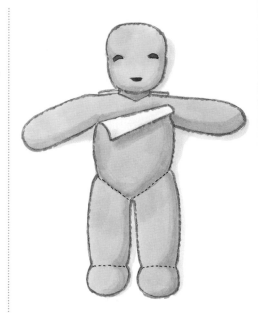

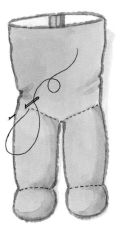

12 Para montar la muñeca, rellenar los brazos sin apretar con lana no cardada, y dejar la zona del cuello/pecho de la sección del brazo vacía. Introducir el extremo del cuello de la cabeza de la muñeca en el agujero del borde doblado de la sección del brazo. Coser la sección del brazo al cuello y dejar 1 cm del cuello visible por encima de los hombros.

13 Hacer una ranura de 2,5 cm a cada lado de la sección del cuerpo/pierna, desde arriba, donde se unirá a la sección del brazo. Rellenar un poco el cuerpo y estirarlo hacia arriba por encima de la sección del brazo, hasta los hombros y el cuello. Si es necesario, rellenarlo un poco más hasta que los brazos cuelguen cómodamente.

14 Coser la sección cuerpo/pierna en su sitio, cosiendo en los hombros y alrededor del cuello y los brazos para asegurarse.

15 Dar puntadas alrededor de la zona de las muñecas, estirar fuerte para formar una mano y coser para asegurarlo. Coser hilo de lana para el pelo y adjuntarlo con firmeza.

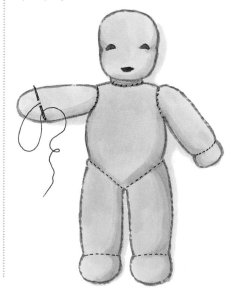

Ropa de muñeca

A medida que tu hijo se implica cada vez más en su juego imaginativo, empieza a imitar la vida diaria y necesita los juguetes adecuados para poder hacerlo de forma satisfactoria. Antes de esta edad, se quedaba contento meciendo la muñeca o alimentándola con comida imaginaria. Ahora necesita utensilios, como un cuenco y una cuchara, aunque la comida sea imaginaria.

Disponer de una selección de ropa de muñeca para diferentes ocasiones estimulará el juego de tu hijo. Puede ponerle un sombrero y una bufanda a la muñeca cuando la saca fuera, un vestido de verano cuando hace calor o un pequeño delantal cuando le da de comer.

Vestirse y desvestirse forma parte de la vida diaria. Tu hijo disfrutará de esta actividad, y le da una oportunidad de desarrollar habilidades motoras precisas. En un principio, necesitará la destreza para introducir el brazo de muñeca, bastante blando, en una chaqueta o ponerle unos pantalones. A medida que crezca, querrá atar los lazos o abrochar los botones de la chaqueta. Necesita practicar todos esos pequeños movimientos de dedos una y otra vez hasta que adquiera la habilidad. En última instancia, vistiendo la muñeca, tu hijo aprenderá a vestirse a sí mismo. Se necesita tiempo, práctica y paciencia, las tres cosas que tu hijo necesita para desarrollarse y convertirse en un ser humano completo y capaz. Deja que lo intente una y otra vez, y ayúdalo solo cuando sientas que es verdaderamente necesario, como cuando se disguste o se frustre. Enséñale despacio para que pueda volver a intentarlo él.

Esta ropa de muñeca también ofrece la oportunidad de que tu hijo practique otras habilidades. Hay que doblarla y guardarla, colgarla en perchas, lavarla y tenderla para secarla. Tu hijo puede plancharla con un bloque de madera sobre una mesita mientras tú planchas. Nada le gusta más a tu hijo que realizar actividades domésticas prácticas contigo.

Consejos

- Puedes hacer que la ropa encaje con cualquier tamaño de muñeca.
- Escoger materiales sencillos y elásticos, como pijamas viejos, chalecos y camisetas.
- Coserle cintas, botones y lentejuelas para decorarla.

«*En el juego, el niño representa con toda seriedad la actividad diaria de la vida*».

Rudolf Steiner, *The Child's Changing Consciousness and Waldorf Education*

Hacer ropa de muñeca

Esta ropa fácil de hacer encaja con las medidas de muñeca que se indican en las páginas 22-24, pero se puede cambiar para adaptarla a cualquier tamaño de muñeca.

Necesitarás

Tijeras de costura

Aguja de coser

Hilo de coser

Aguja de bordar

Hilo de bordar

Tijeras dentadas (opcional)

Para ropa de muñeca

Tela de vestido

Tela de pantalones elástica

Una goma fina

Para ropa de muñeco

Lana de hebra gruesa de dos colores

Ajugas de punto (3,5 mm)

Aguja de zurcir

Fieltro

Lápiz

Botón

Chaleco viejo

Cómo hacerla

1 Cortar la tela del vestido de la muñeca. Debería llegar de los hombros a las rodillas (unos 18 cm), y ser unos 4 cm más ancho que la parte delantera y trasera de la muñeca (unos 33 cm en total).

2 Doblar la tela del vestido, con los lados derechos juntos, de modo que los extremos cortos se encuentren en el medio. Para los agujeros de los brazos, hacer un corte de un tercio de la longitud desde la parte superior de cada extremo doblado.

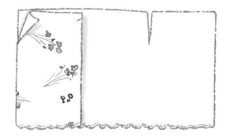

3 Unir cosiendo los extremos cortos y girar la tela para que la costura quede en la parte trasera. Coser la parte delantera y trasera del vestido a la altura de los hombros. Darle la vuelta a los lados derechos.

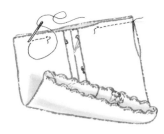

4 Utiliza el punto sencillo para unir el cuello del vestido con hilo de bordar, empezando por la costura trasera. Dejar los dos extremos lo bastante largos para poder atar un lazo. Hacer el dobladillo de los extremos o, si el tejido no necesita dobladillos, cortar un bonito borde con unas tijeras dentadas.

5 Cortar un rectángulo de 22 x 10 cm de la tela de los pantalones y doblar, con el lado derecho junto, para que los lados cortos se encuentren en el medio. Será la costura trasera. Coser y parar 1,5 cm antes de la parte superior. Cortar una forma de V para la entrepierna.

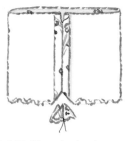

6 Hacer el dobladillo en los bordes o cortar con unas tijeras dentadas. Doblar el borde superior 1,5 cm y coser. Meter la goma elástica por el agujero en la costura trasera y coser los bordes. Coser el agujero y dar la vuelta a la tela.

7 Realizar el gorro de punto del muñeco. Hacer unos 40 puntos sueltos (o medir el perímetro de la cabeza y hacer la misma longitud de puntos). Fila 1: hacer uno normal, otro del revés; fila 2: hacer uno del revés, otro normal. Seguir con filas alternas hasta llegar a 6 filas. Hacer las siguientes 16 filas normales, reduciendo la longitud en un punto al principio de cada fila (quedan 14 puntos). Cerrar.

8 Unir la parte superior del gorro y hacer la costura trasera utilizando la aguja de zurcir.

9 Hacer un pompón de un color distinto. Enrollarse hilo de lana 25 veces en el dedo. Pasar un trocito de hilo de lana por el medio de los círculos enrollados y hacer un nudo fuerte. Coserlo al gorro y cortar los círculos para crear un pompón. Cortar los bordes para terminar.

10 Hacer la bufanda, montar 10 puntos. Fila 1: uno normal, otro del revés; fila 2: uno del revés, otro normal. Seguir con filas alternas hasta que la bufanda mida 40 cm. Cerrarlo. Añadir los flecos atando hilo de otro color y haciendo un nudo.

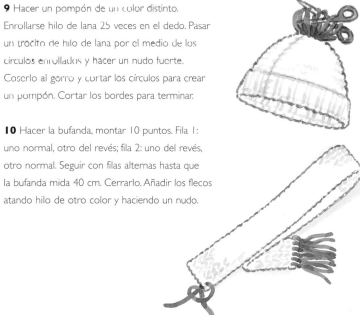

Punto de festón

Llevar la aguja desde la parte delantera de la tela a la trasera, a 2-3 mm del borde. Repetir el primer punto, utilizando el mismo agujero de entrada. Trabajando de izquierda a derecha, hacer una segunda puntada a unos 2-3 mm de la primera. Asegurarse de que el círculo va detrás de la aguja. Estirar del hilo para que el círculo esté en la parte superior del material, y continuar. Al llegar al final, acabar haciendo otro punto doble.

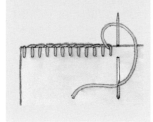

11 Para hacer los pantalones, montar 42 puntos (o medir la cintura de la muñeca y montar puntos hasta llegar a la misma longitud). Fila 1: hacer un punto normal, otro del revés; fila 2: hacer un punto del revés, otro normal, y seguir hasta hacer 4 filas. Hacer puntos normales hasta que los pantalones lleguen desde la cintura hasta la parte superior de las piernas (unas 18 filas).

12 Hacer la mitad de los puntos (21) y cambiar los puntos restantes a otra aguja. Seguir tejiendo una pierna hasta que alcance la longitud necesaria para los pantalones cortos o largos, siguiendo la cuenta de las filas hechas, y hacer las dos últimas filas en un color distinto. Cerrarlo. Volver a unir la lana a la segunda pierna y tejer de la misma manera. Cerrarlo.

13 Con la aguja de zurcir y lana a juego, hacer puntadas en los pantalones desde la cintura hasta la entrepierna. Luego coser las costuras de las piernas. Hacer una costura de hilo de otro color en la cintura y atarlo con un lazo.

14 Para hacer la chaqueta del chico, doblar el fieltro por la mitad y dibujar un diseño sencillo con los hombros colocados a lo largo del borde doblado (véase la ilustración del paso 15). Debería ser de unos 20 cm de ancho por 12 cm de largo. Hacer un corte poco profundo en el medio del borde doblado para el cuello, abrir el fieltro y hacer un corte en el centro de la parte delantera de la chaqueta.

15 Tomar las medidas de la chaqueta, marcando la posición de las costuras laterales. Cortar el exceso de tela de las costuras laterales, luego unir las costuras (véase la pág. 39) utilizando hilo del mismo color que la tela de la chaqueta.

16 Utilizar hilo de bordar para tener un color de contraste con el que coser alrededor del cuello, el brazo, la parte delantera y los bordes inferiores en punto de festón (véase el cuadro). Coser un ojal y un botón utilizando el mismo hilo.

17 Para hacer un chaleco, medir el cuerpo de la muñeca y cortar un pedazo de tela de un viejo chaleco (con el grano en vertical, de arriba abajo) que sea algo más ancho que el cuerpo y el doble de largo. Doblarlo por la mitad, con los lados derechos juntos, y hacer las costuras laterales dejando aperturas para los brazos. Cortar una bola en el centro del borde doblado para el cuello. Hacer el dobladillo en los bordes irregulares y darle la vuelta.

Columpio para muñeco

El balanceo es una actividad rítmica de la que disfruta todo el mundo, pero sobre todo los niños pequeños. Todos sabemos lo relajantes que resultan los movimientos rítmicos, ya sea al acariciar o mecer a un bebé o al hacer rebotar o balancear a un niño pequeño. El niño se relaja en ese movimiento eterno, y pide «más» cada vez que el rebote termina.

UN ACTIVIDAD CURATIVA

El balanceo es un verdadero alivio para un niño pequeño, sobre todo si lo acompañas en el columpio. A tu hijo le encantará que lo empujen en un columpio del parque, mientras cantas una y otra vez la vieja y sencilla rima sin sentido que ofrecemos más abajo, siguiendo la melodía de «El columpio de los elefantes». Para empezar, puedes colocarte enfrente del columpio y empujar a tu hijo de manera que no sienta miedo, antes de ponerte detrás de él.

Un elefante se balanceaba
sobre la tela de una araña,
y como veía que no se caía,
fue a llamar a otro elefante.

Consejos

- Utilizar material fuerte.
- Estas instrucciones sirven para un juguete de unos 30 cm de largo, pero se pueden adaptar a cualquier tamaño de juguete.
- Una caña de jardín es buena para ensamblar.
- Utilizar una cadenita o hilo de hacer punto para las cuerdas que cuelgan, o hacer unas enrollando hilo de bordar fuerte o lana fina.
- Colgar el columpio de una rama o un palo de escoba apoyado en muebles.

APRENDER DE LA EXPERIENCIA

Con este columpio para muñeco, tu hijo puede expresar su amor por los columpios de otro modo, es decir, imitándote y convirtiéndose en el padre que empuja a su juguete favorito. El columpio es muy fácil de hacer y se puede suspender de una ramita del jardín, o de un palo de escoba colocado sobre dos sillas en casa. Se coloca el muñeco cómodamente en el asiento, con los brazos detrás de las cuerdas laterales para que no se caiga. Canta con tu hijo mientras él empuja al muñeco adelante y atrás, enfrente o detrás del columpio. Pronto entenderá las reglas del equilibrio y el movimiento a través de esta actividad: ¡si llega demasiado alto, el muñeco se caerá!

Sin embargo, si eso ocurre, deberías reaccionar como si se hubiera caído tu propio hijo, recogiendo el muñeco y consolándolo con un pequeño abrazo, antes de volver a ponerlo en el columpio. Así, tu hijo aprenderá a respetar y cuidar el muñeco. También aprenderá que hay que atar con fuerza el columpio a la rama o el palo para que no se deslice y el muñeco pierda el equilibrio. Son lecciones que le servirán para la vida, y aprenderlas ahora de la experiencia (no hace falta explicárselo con palabras) es la mejor manera de que las relacione también consigo mismo.

Hacer un columpio de muñeco

El diseño de este columpio se puede adaptar fácilmente a cualquier juguete, grande o pequeño. Tan solo necesitas ajustar las medidas para que encajen.

Cómo hacerlo

Necesitarás

Tela

Tijeras de costura

Alfileres

Aguja de coser

Hilo de coser

Caña de 5 mm

Sierra

Lija

Cúter

Cuerda de colgar

Pegamento

1 Cortar un pedazo de 28 × 16 cm de tela y hacerle el dobladillo a los bordes.

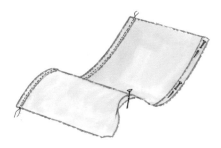

2 Cortar tres trozos de caña, cada uno 3 cm más largo que el lado más corto de la tela, y lijar los extremos. Con la tela plana y la parte del revés hacia arriba, colocar una caña en cada extremo corto, doblar el final de la tela con fuerza encima de cada uno y coserlo con firmeza.

3 Repetirlo con el tercer trozo de caña y coserlo aproximadamente unos 12 cm más adentro de uno de los extremos. Esta sección más corta forma el asiento del columpio.

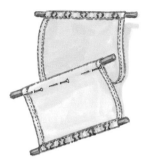

4 Utilizar un cúter a fin de hacer una muesca en los extremos de los trozos inferior y superior de la caña, para la cuerda de la que colgará. Cortar dos trozos de cuerda, cada uno unas tres o cuatro veces más largo que el columpio. Atar un extremo de una cuerda a uno de los bordes con muesca de la caña superior y pegarla.

5 Atar el otro extremo de la cuerda al borde con muesca de la caña inferior y pegarla. Repetirlo con la otra cuerda.

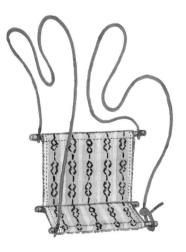

Mochila para muñecos

Tu hijo recuerda cómo se sentía cuando lo llevabas, lo mecías o lo abrazabas cuando era pequeño. La experiencia sigue viva en su interior, así como el deseo de ese gesto reconfortante. Hoy en día, muchos padres siguen el trabajo de Jean Liedloff, que, en su libro *El concepto del continuum: en busca del bienestar perdido*, aboga por una «fase en brazos», desde el nacimiento hasta que empieza a gatear.

Se practica en muchos países del mundo en desarrollo, donde las madres llevan a los niños en la espalda o en un cabestrillo, enfrente. El ritmo de su movimiento, cuando caminan o trabajan en el campo o hacen las tareas domésticas, relaja al niño. Sin embargo, en la cultura occidental la gente está ocupada con muchas actividades distintas a la vez: contestar al teléfono, hacer la colada y cocinar. Esos movimientos presurosos no siempre son rítmicos, y pueden resultar inquietantes para el niño.

EN MOVIMIENTO

Ahora que tu hijo es más activo, quiere estar en movimiento, igual que su muñeco o su oso favorito. De hecho, abandonar a su muñeco o su oso puede resultar tan difícil para tu hijo como lo sería para ti dejarle a él.

Recomendaciones

- Tu hijo puede llevar la mochila en los hombros o delante, como un portabebés.
- Tu hijo puede abrir la mochila plana para utilizarla como un colchón para «cambiar» a su muñeca.
- Esta mochila va bien para un muñeco de 35-45 cm, pero se puede adaptar para que funcione con su juguete favorito.

Al cargar el muñeco en una pequeña mochila, tu hijo puede llevarse su juguete de paseo, al parque, de compras o adonde vayas, y no dejar de estar contento.

SENSACIÓN DE INDEPENDENCIA

Animando a tu hijo a llevarse la mochila, le ayudas a que sea más independiente cuando estéis fuera. No la puede usar cuando está sentado en un cochecito, así que tendrá que caminar a tu lado si quiere llevarla. Pese a que se puede tardar más en ir a los sitios, caminar tendrá efectos muy positivos en tu hijo, ya que fortalecerá sus extremidades y le permitirá respirar con mayor profundidad y caminar rítmicamente. Todo eso le ayuda a desarrollar un cuerpo físicamente fuerte y un cansancio sano que se traduce en un buen sueño.

La mochila se puede llevar delante o en la espalda. Muchas niñas prefieren colocársela delante, imitando a las madres que ven a su alrededor, que llevan su bebés cerca del corazón en un gesto eterno de protección. Los niños pueden preferir llevar el muñeco en la espalda con el objeto de tener las manos libres para trabajar y jugar sin estorbos. Sea cual sea el modo de ponerse la mochila para llevar el muñeco, ¡prepárate para que la suelten cuando se cansen de la novedad y te la metan en el bolso!

Hacer una mochila para muñecos

Animando a tu hijo a usar esta mochila, puedes hacer que se sienta «responsable» de su muñeco. También ayuda a que no sea tan fácil dejarse el muñeco, perderlo o que se caiga en algún sitio.

Cómo hacerlo

Necesitarás

Tela fuerte

Tijeras de costura

Aguja de coser

Hilo de coser

Relleno fino

Alfileres

4 tachuelas o broches de presión grandes

Tiza de sastre

1 Cortar un pedazo de tela de 90 x 20 cm de largo y doblarlo por la mitad, con el revés hacia fuera, para unir los dos extremos cortos.

2 Doblar el borde inferior (doblado) de manera que la mitad inferior mida 18 cm. Cortar las esquinas donde irán las piernas del muñeco. Deberían quedar aproximadamente 4 cm por encima del segundo pliegue.

3 Abrir el segundo pliegue y coser los bordes más largos de tela de abajo arriba, y dejar la parte superior abierta para el relleno.

4 Cortar un trozo de relleno para que encaje dentro de la sección trasera de la mochila sin fruncirse. Dar la vuelta a la tela e introducir el relleno.

5 Cortar dos tiras de la tela sobrante, cada una de 65 x 8 cm. Doblar cada una a lo largo, con los lados derechos unidos, y coser los bordes irregulares. Darle la vuelta y aplanar. Sujetar un extremo de cada cinta a la cara interior de la mochila para muñecos, una en cada esquina; luego meter un pequeño dobladillo a lo largo de los bordes irregulares de la abertura y sujetar o prender con alfileres en su sitio. Después unir con alfileres los dos lados y coser para cerrar la abertura y asegurar las cintas. Quitar los puntos y alfileres que sujetaban.

6 Darle la vuelta a la mochila para muñecos y coser unas tachuelas o broches de presión en la cara exterior de la mochila, uno en cada esquina justo por encima del pliegue. Coser las tachuelas o broches de presión correspondientes a 1,5 cm a partir del final de cada cinta. Para ponerse la mochila, unir las cintas a las tachuelas o broches de presión.

7 En la cara interior de la mochila, doblar la sección inferior hasta colocarla en su posición y usar tiza de sastre para marcar la situación de dos parejas más de tachuelas o broches de presión, que asegurarán la parte frontal de la mochila a la espalda cuando el muñeco esté en su sitio. Coser con firmeza.

Caballo de fieltro

La costura es una actividad doméstica fantástica que ofrece una imagen positiva de un adulto trabajando, que tu hijo puede imitar. A diferencia de hacer punto, a los niños pequeños les atrae imitar la acción de coser. Podrías darle a tu hijo una cestita de coser que contenga un poco de fieltro y aguja e hilo grandes. Eso le permitirá empezar a ser creativo y a coser él solo cuando le hayas enseñado la técnica.

CREATIVIDAD TEMPRANA

La aguja debería tener un punto que tu hijo pueda empujar a través de la tela, así no se sentirá frustrado por culpa de unas herramientas inadecuadas. Si le enseñas a utilizar la aguja correctamente, será raro que se pinche. Enséñale también a guardar la costura adecuadamente cuando haya terminado.

No importa lo que hace ni si es algo reconocible. Los niños pequeños carecen de una idea consciente del aspecto que debería tener un juguete, y todo lo que crean les parece bien si tú lo tratas con respeto. A tu hijo le encanta imitar el trabajo real, y el simple hecho de poder estar sentado y trabajar a tu lado le hará sentirse satisfecho. A medida que crezca, se volverá más habilidoso y creativo, lo que provocará que quiera hacer juguetes más reconocibles. Cuando tenga cinco o seis años, tu hijo podrá probar muchos patrones sencillos disponibles, como una bolsa sencilla, un alfiletero o un libro de fieltro con «dibujos».

RECURRIR A LA NATURALEZA

El caballo es un animal que atrae a todos los niños. Les encanta ver caballos que corren libres por el campo, y jinetes acompañados del ruido de cascos por la carretera. Los sonidos, el movimiento y la belleza de este animal fuerte atraen a todos los niños, y al hacer un caballo para que tu hijo juegue, añadirás un nuevo amigo al corral. Aproximadamente en la misma época en que hagas el caballo, lleva a tu hijo a ver los de verdad, no solo en el campo, sino también trabajando. La imagen de un caballo trabajando será todo un regalo, ya sea un caballo policía, de carreras o uno que trabaje en una granja.

Piensa con detenimiento en el color. El caballo podría ser gris, negro o color avellana, con la crin y la cola del mismo color o en contraste. También podrías utilizar un

Recomendaciones

- Utilizar fieltro grueso y algodón fuerte para reforzar las costuras (véase página 39).
- Si se cose a máquina, hacer las patas más gruesas para poder tener costuras.
- Si las patas se separan, dar algunas puntadas en la parte superior de las costuras delanteras y traseras.
- Asegurarse de rellenar el caballo con firmeza.
- Para un acabado más limpio, hacer el largo del óvalo del casco un poco más pequeño que el largo de la pezuña.
- Utilizar un color de contraste para los ojos, el interior de las orejas, el refuerzo de la cabeza y los cascos.

tercer color para los cascos y la mancha de la frente. Sin embargo, haz que los colores sean realistas: en la vida real no hay caballos rosas.

HORA DE JUGAR

A los niños les encanta que les hagan brincar al ritmo de una canción infantil, y existe una multitud de canciones que presentarán a tu hijo diferentes imágenes de un caballo. La canción infantil «El caballo trotón» es una opción muy popular. Otro tanto ocurre con esta canción más moderna, que debería cantarse haciendo el ritmo del trote:

Corre, corre, caballito,
corre por la carretera,
no detengas tu carrera,
que lleguemos tempranito.

Hacer un caballo de fieltro

Puedes utilizar este patrón básico para hacer una familia de caballos en una gama de tamaños distintos. Para hacer un caballo de montar, añade una silla y la brida.

Cómo hacerlo

Necesitarás

Papel de calcar

Lápiz

Alfileres

30 x 30 cm de fieltro grueso

Retales de fieltro de colores

Tijeras afiladas

Aguja de bordar

Hilo de bordar

Lana de oveja cardada
   y sin tejer*

Pegamento

Hilo de tejer

* Cardar la lana de oveja no tejida antes de usarla, estirando con suavidad para separar las fibras densas. Un «cardador» manual parecido a un peine acelera el proceso.

1 Hacer una plantilla de papel utilizando una fotocopiadora para aumentar la siguiente ilustración hasta conseguir el tamaño deseado, o dibujando un patrón que siga las proporciones de la ilustración. Las medidas mínimas recomendadas para el caballo son 16 cm del hocico a la cola y 10 cm de la cabeza a los cascos. A y B marcan la posición del refuerzo de la cabeza. Necesitarás dos cuerpos, dos piezas interiores de las patas, un refuerzo de la cabeza, cuatro cascos, dos orejas exteriores, dos interiores de contraste y dos ojos. Prender con un alfiler los trozos del patrón al fieltro y cortar.

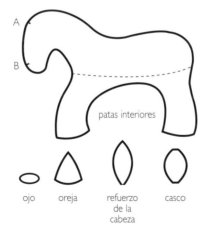

patas interiores

ojo   oreja   refuerzo   casco
                    de la
                    cabeza

2 Utilizar pespuntes para unir los pedazos de las patas interiores por la costura del centro y girar la costura hacia el interior.

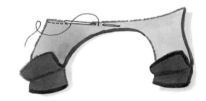

3 Ribetear (véase el cuadro) los bordes exteriores de las patas de las secciones del cuerpo con el trozo de las patas interiores.

4 Ribetear los cascos y rellenar las patas con firmeza.

5 Coser la parte trasera del caballo, dejando un hueco en la parte inferior de la espalda para rellenar, hasta llegar al punto A, donde se introducirá el refuerzo de la cabeza, tal como está marcado en el patrón. Luego coser el pecho y el cuello hasta llegar al punto B. Ribetear el refuerzo de la cabeza en su sitio. Rellenar la cabeza y el cuello con firmeza.

6 Rellenar el caballo y terminar de coser.

7 Pegar la oreja interior a la exterior y coser a la cabeza a ambos lados. Pegar los ojos y coserlos para asegurarlos. Bordar unas pupilas circulares en los ojos, si se quiere.

8 Para hacer la cola, enrollar un trozo de hilo de lana que quede suelto en cuatro dedos entre ocho y doce veces. Coserlo al trasero del caballo. Enrollar un trozo de hilo alrededor de la zona cosida, y cortar los hilos por el final de la cola. Recortar para pulir.

9 Repetir el proceso con la crin, cosiendo muchos rollos más pequeños e individuales de lana. Recortar para pulir.

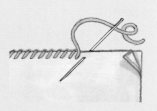

Ribetear

Es un punto útil para unir los bordes de pedazos de fieltro. Trabajando de izquierda a derecha, pasar la aguja desde la parte trasera hacia la delantera (de derecha a izquierda) de la tela en un ángulo de 45 grados. Repetir, manteniendo los puntos pequeños y regulares.

Imaginación

Imaginación

Apreciamos y menospreciamos la imaginación al mismo tiempo. Es la fuente de toda creatividad, tecnología y cultura y, sin embargo, como no parece tener realidad práctica ni física alguna, rara vez le damos el reconocimiento que se merece. A menudo se asocia con la infancia, como algo que «con el tiempo se pierde». No obstante, gracias a la imaginación descubrimos nuestro mundo y nos relacionamos con él, y el juego imaginativo de la infancia nos inicia en este camino.

La zona de juego de la mente

Según afirma Johan Huizinga en su fantástico libro sobre el juego en la cultura humana, *Homo ludens*, «la zona de juego de la mente es un mundo en sí mismo… Allí las cosas poseen una fisonomía diferente de la que tienen en la vida diaria, y las unen vínculos que no son los de la lógica y la causalidad». La imaginación es el modo que tenemos de crear imágenes que no están presentes para nuestros sentidos. Utilizamos esta capacidad cuando nuestros sentidos se han desarrollado lo suficiente para poder enfrentarse al mundo. También mantiene una estrecha relación con nuestros valores y propósitos morales, ya que varios estudios han descubierto que los niños poco imaginativos recurren a la violencia con más facilidad que los niños imaginativos: cuando se enfrentan a una situación amenazadora o humillante, son incapaces de imaginar una respuesta que no sea la agresión. Esto ocurre sobre todo en una cultura que bombardea a los niños con imágenes que muestran la violencia como única solución para una situación emocionalmente exigente.

En nuestra imaginación unimos las piezas de nuestro mundo fracturado y, para los niños, es la homóloga de la conciencia en expansión. Un bebé está en armonía con el mundo en la primera etapa del desarrollo físico. En ese momento, las fuerzas vitales están dedicadas a aprender a controlar las extremidades y hablar. Cuando se convierte en niño, las fuerzas vitales «se desbordan», según palabras de Steiner, en la mente y la imaginación. A través de la imaginación, un niño transforma cosas cotidianas para que pierdan su finalidad original. Una mesa puede convertirse en un coche; una silla, en un castillo; una tela, en el cielo; etc. El niño vierte creatividad en el mundo de los objetos, y el mundo inanimado cobra vida. Bruno Bettelheim afirma en *Psicoanálisis de los cuentos de hadas* que «el pensamiento del niño sigue siendo animista hasta la pubertad. Sus padres y profesores le dicen que las cosas no pueden sentir ni actuar; por mucho que finja creérselo para contentar a los adultos, o para no ser ridiculizado, en el fondo el niño sabe cuál es la verdad». En su imaginación, el niño encuentra una relación con todo lo que le rodea.

El poder de la imaginación

Las palabras «creativo», «bienestar» y «felicidad» representan los ideales del estilo de vida actual. Cualquier niño de entre dos y tres años los expresa sin pretenderlo siquiera. A menudo Steiner insta a los profesores a ejercitar su imaginación; de hecho, este es

uno de los requisitos para enseñar en un colegio Steiner. Por ejemplo, en todas las clases deberían figurar dibujos imaginativos que los niños puedan relacionar y aprender de ellos, en vez de abstracciones informativas, pues esas imágenes son una parte integrante de la autoeducación que relaciona el mundo interior con el exterior.

Durante los primeros años, la imaginación del niño es lo primordial: el profesor, o cuidador, es un mero facilitador. En su ciclo de conferencias *The Kingdom of Childhood*, Steiner afirmaba: «La inteligencia nunca penetra de forma tan profunda la realidad como la fantasía. La fantasía puede desviarse, es cierto, pero tiene su raíz en la realidad, mientras que el intelecto permanece siempre en la superficie». Si se observa

La visión de los románticos

En nuestro mundo cada vez más tecnológico, hay que reinterpretar las imágenes que pensamos de un modo positivo. Los poetas y artistas románticos se dieron cuenta de ello a principios de la revolución industrial, pero a menudo se les consideraba voces aisladas que se oponían al sentido práctico de la vida diaria. En su poema *The World is Too Much with Us*, Wordsworth advertía de que, a menos que pudiéramos atender al poder creativo de la imaginación, «al conseguir y gastar, echamos a perder nuestros poderes».

Hoy en día tomamos la visión romántica en serio y volvemos a examinar la importancia de las capacidades imaginativas de la infancia para el desarrollo individual. Para los niños de hoy en día es imprescindible que dichos poderes se potencien y ejerciten siempre que sea posible. Nuestro estilo de vida y nuestras habilidades científicas pueden apartarnos fácilmente de la realidad de la vida y hacer que nos acerquemos a una realidad virtual creada por otros. Mediante el juego imaginativo, un niño puede aprender a crear relaciones de amor basadas en el respeto y la comprensión empática, que le permitan encontrar formas nuevas y positivas de enfrentarse a los problemas del mundo moderno.

la inmersión completa de un niño pequeño en su juego, se percibe que vive en lo que, para él, es la realidad; lo que hace que nos preguntemos hasta qué punto reside esta en nuestras imágenes internas, a las que se accede mediante la imaginación. Esta no conoce el tiempo en un sentido mundano. En el caso de los niños, los juegos sencillos, los juguetes no complicados, el tiempo no comprimido, la atención y una suspensión de las inhibiciones pueden abrir este reino.

«A menos que te comportes como un niño pequeño, nunca entrarás en el reino de los cielos.» Muchas religiones contienen un pensamiento semejante. No es una invitación a una segunda infancia, sino a un despertar de las sensibilidades imaginativas para que podamos participar en el mundo de un modo fructífero. El niño se convierte en nuestro profesor. Sin embargo, a diferencia del niño en su juego, cuando nos desviamos se producen consecuencias, así que la imaginación también debe tener un aspecto moral que aprendemos a medida que crecemos. Al ofrecer imágenes y narraciones a nuestros niños, deberíamos asegurarnos de que, mediante nuestro mutuo juego imaginativo o explicación de cuentos, aportamos valores enriquecedores y buenos.

Aprovechar el pensamiento imaginativo

Los grandes científicos y artistas reconocen que la imaginación se encuentra en la raíz del descubrimiento. Einstein, por ejemplo, recomendaba contar cuentos de hadas para fomentar la sabiduría en un niño. De hecho, podría decirse que todas las profesiones y artes necesitan un elemento de imaginación para el éxito, que creemos una imagen de nuestros objetivos antes de lograrlos. Esa imagen se ajusta a medida que avanzamos, pero la imaginación nos permite la libertad de cambiar. Ahora se espera que los colegios dediquen tiempo al aprendizaje social y emocional en su currículo. Es un buen cambio, siempre que seamos conscientes de que esas habilidades residen en la imaginación y que no se pueden extraer aplicando viejos preceptos con aspecto renovado. A medida que aumentan las presiones económicas en individuos y comunidades, la creatividad hoy en día se considera la clave de la futura prosperidad. Un informe de 2004 del gabinete estratégico Demos, *Europe in the Creative Age*, resalta la importancia de las tres T —talento, tecnología y tolerancia— para que cualquier país prospere. A pesar de que pretendía ser una recomendación para el mundo adulto del comercio, esos conceptos son exactamente lo que pone en práctica un niño mediante su juego imaginativo natural. Nuestro talento está estrechamente relacionado con nuestro yo. Todos los niños tienen talentos y dones que se pueden desarrollar a lo largo de la vida, pero nunca tanto como en los primeros años. Estos pueden ser desde una mente despierta hasta la bondad de corazón y, a esta edad, cuando surge el yo, se revelan en el juego. Entonces como padre, puedes ayudar a tu hijo a fomentar sus dones inherentes y superar sus debilidades. Aceptar que todos los niños tienen talento genera confianza en uno mismo y valentía para superar obstáculos. Sin embargo, estas cualidades son frágiles, y un niño que se enfrenta de forma imaginativa a nuevas situaciones necesita tu apoyo incondicional.

Realidad e imaginación

Durante el juego, manipulamos el mundo a nuestro antojo. Cuando un niño mueve los muebles en la casita de muñecas (véanse páginas 54 y 58), apila bloques y tablas (véase página 51) o se disfraza (véase página 66), utiliza las manos para cambiar el mundo de un modo concebido por su imaginación. La imaginación nos dice que existen otras posibilidades. Tenemos una intención y, al perseguirla, potenciamos nuestras habilidades.

A esta edad, los niños que juegan son tolerantes por naturaleza si su entorno se lo permite. Se enseñan a jugar unos a otros, cambian los juegos para adaptarlos a las personas implicadas, acogen a todos los participantes y no soportan mirar sin participar. El juego puede abarcarlo todo y es un ejercicio de la imaginación empática, pues consiste en ponerse en la piel de otro. Cuando juegas de forma creativa con tu hijo, a él también le interesa lo que tú haces. Jugar con más personas es fascinante, porque todos los participantes pueden aportar algo, y así podemos aprender a aceptar el cambio sin que parezca amenazador ni extraño.

Así, la realidad y la imaginación no son dos mundos sino uno, y un niño de esta edad se siente bastante cómodo con cualquiera de las dos, sin necesidad de trasladarse de forma consciente. Está allí, y ya está. Su realidad es un sinónimo de su imaginación. Los adultos creemos que existe una gran dicotomía entre la realidad y la imaginación, pero subestimamos el modo en que las imágenes que formamos en la mente dictan nuestra realidad. Para equilibrar nuestras vidas, deberíamos escuchar a nuestros poetas y niños, para los cuales, tal como apuntó Huizinga, la imaginación y la fantasía «están más allá de la seriedad», donde «podemos renunciar a la sabiduría de un hombre a favor de la de un niño». Nuestra lengua, cultura, comportamiento, experiencias, juicios sobre lo que está bien y lo que está mal, así como las relaciones amorosas (o de otro tipo), forman parte de un mundo de imágenes. Hay muchos libros sobre el desarrollo del niño, pero pocos mencionan de verdad la palabra «imaginación». Tal vez tengamos que aceptar que nuestros niños saben más de eso que nosotros, y que, cuando se trata de entender este aspecto de nuestra vida, la comprensión poética se acerca más a la verdad que la observación analítica.

Caballo de montar

A medida que tu hijo se vuelve más activo y capaz de controlar su movimiento y equilibrio, buscará juguetes que exijan un elemento de habilidad física para poder jugar de un modo distinto. El impulso de moverse es muy fuerte, y a los niños nada les gusta más que correr, saltar, brincar, dar saltitos y galopar, movimientos que requieren repetición y ritmo.

LA IMAGINACIÓN EN DESARROLLO

Necesitará tiempo y práctica para adquirir la capacidad de montar a un caballo como este, y jugar con él le ayudará a desarrollar su cuerpo y los músculos sin ningún esfuerzo consciente. Sin embargo, en este caso no solo se desarrolla el aspecto físico, sino también la imaginación. Este juguete ayuda a desarrollar la imaginación de muchas maneras distintas.

En una guardería, un niño de cinco años y dos niñas de cuatro años tenían un caballo de montar cada uno. Se disfrazaban de príncipe y princesas, cabalgaban hacia el «el mundo ancho, muy ancho» y corrían aventuras. Por el camino, paraban para dar de comer a sus caballos; esta se convirtió en una de las actividades centrales del juego

y atraía a otros niños que les proporcionaban la tienda donde compraban la comida (castañas de Indias) que les daban a los caballos en cestitas antes de continuar su camino. Este juego duró semanas, y se transformaba día a día. Los niños cuidaban de los caballos alimentándolos adecuadamente, dándoles agua y acostándolos, y desarrollaron un sano respeto hacia ellos. El galope y el trote (¡o el caminar cuando el juego se volvía demasiado ruidoso!) les ayudaba a desarrollar su sentido del ritmo y, por supuesto, fomentaba el desarrollo de un cuerpo físicamente fuerte.

Este es un ejemplo muy sencillo de cómo puede desplegarse la imaginación de un niño cada día. En este caballo de montar de juguete, tu hijo encontrará un auténtico compañero, que tratará con cariño. Cuidará del caballo, lo atará de forma segura por la noche o cuando no esté jugando. Puedes ponerle añadidos cosiéndoles campanillas a las riendas o haciendo coloridas cintas para la cabeza. Descubrirás que aporta alegría al juego de tu hijo y ayuda a que se desarrolle su vida de fantasía.

La imaginación en desarrollo de tu hijo necesita alimentarse de una cierta dosis de realidad antes de encontrar su expresión en el juego. A medida que crezca tu hijo, es recomendable visitar una granja o establo, donde pueda observar caballos de verdad, alimentarlos y observar cómo se mueven en el campo. Esto hará que su juego se modifique, desarrollando una nueva dimensión y volviéndose aún más creativo.

Recomendaciones

- Utilizar un calcetín natural o de color claro (marrón o gris)
- Pulir y barnizar el palo antes de introducirlo en el calcetín.
- Se puede colocar un pedazo de tela encima de la parte superior del palo antes de introducirlo para tener un relleno adicional y proteger el calcetín.
- Para las riendas, utilizar una cuerda, trenza o cinta gruesa.
- Para hacer un caballo que ruede, hacer un agujero en la parte inferior del palo y añadir ruedas en una espiga.

Hacer un caballo de montar

Puedes utilizar un palo de escoba para hacer el poste de este caballo de montar, pero asegúrate de cortarlo a una altura cómoda para tu hijo antes de usarlo.

Cómo hacerlo

1 Rellenar el calcetín hasta el talón con lana de oveja no tejida. Lijar los dos extremos del palo. Insertar un extremo en el calcetín relleno, y asegurarse de que la parte superior del palo está bien acolchada.

2 Terminar de rellenar la parte trasera de la cabeza y la zona del cuello, y atar el cuello del calcetín alrededor del palo. Apretar a través del relleno y hasta la parte superior, para evitar que se deslice. Retorcer el calcetín en la zona del cuello (el talón), y coser donde se encuentran la cabeza y el cuello para darle forma al calcetín.

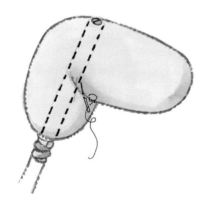

3 Atar un hilo o una goma elástica alrededor de la zona de la nariz para darle forma. Fijarlo en la boca y coser para asegurarlo.

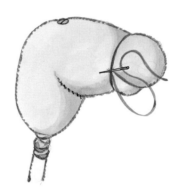

4 Dibujar el contorno de una oreja en papel de calcar, sujetarlo con un alfiler a los retales de piel o fieltro más oscuro y cortar dos. Luego sujetar con un alfiler el contorno a los retales más claros, y cortar dos más. Cortar dos formas más del relleno de tela fina.

5 Colocar cada oreja, con el color más oscuro primero, luego el relleno y finalmente el pedazo más claro, y coserlo utilizando punto de festón (véase página 28) e hilo de bordar.

* Cardar la lana de oveja no tejida antes de usarla, estirando con suavidad para separar las fibras densas. Un «cardador» manual parecido a un peine acelera el proceso.

6 Unir las dos esquinas inferiores de cada oreja y coser para sujetarlas.

7 Para hacer la crin del caballo, enrollar un trozo de hilo de lana alrededor de tres dedos unas cuantas veces para hacer muchos círculos. Se necesitan varios como este. Coser cada montón con fuerza y de forma segura a la cabeza; empezando por delante, entre las futuras posiciones de las orejas, y siguiendo hacia atrás, del cuello al palo. Cortar los círculos y despeinar.

8 Sujetar con alfileres las orejas en su sitio y coserlas de forma segura a la cabeza antes de recortar la crin para pulirla.

10 Para hacer el arnés, cortar un trozo de cinta para colocarlo en la nariz, a ambos lados de la boca, y otro pedazo para colocarlo debajo de la barbilla. Coser cada sección a un anillo de cortina.

11 Mide un tercer y cuarto trozo de cinta para que vaya desde cada uno de los anillos hasta la crin. Coser debajo de la crin o detrás de las orejas. Coser un quinto trozo de cinta debajo de la barbilla. Si se quiere, añadir un trozo de cuerda en la frente, delante de las orejas, para que una las dos cintas. Añadir a ambos lados campanillas a los anillos.

9 Dibujar un contorno de ojo en papel de calcar, sujetarlo con un alfiler a retales de fieltro y cortar dos ojos de fieltro. Para las pupilas, cortar dos círculos de fieltro de un color que contraste. Sujetar con un alfiler y coserlos.

12 Colocar cuerda para las riendas en los anillos y atarlas bien. Finalmente, cortar un trozo de fieltro o tela y pegarlo en la juntura donde el calcetín se une al palo. Coser la juntura para asegurarlo.

Bloques y tablas de construcción

Ahora que tu hijo se está volviendo más habilidoso con sus movimientos y el equilibrio, disfrutará creando diferentes objetos con los bloques y tablas que tú le proporciones. Durante los dos primeros años, necesitaba toda su destreza para construir una torre, y le causaba el mismo placer derribarla que construirla (a menudo con tu ayuda). Ahora su juego cambiará.

A medida que el juego de tu hijo se vuelva más creativo e imaginativo, utilizará los bloques y tablas de distintas maneras. Una serie de formas y tamaños le permitirán practicar el equilibrio y le inspirarán para ser más audaz con sus construcciones.

Enséñale a tu hijo lo fácil que es hacer un puente colocando en equilibrio una pequeña tabla o un trozo de corteza sobre dos troncos. Se pueden usar más troncos para hacer una valla o una casa con techo de corteza. Juntos podéis hacer un establo para el caballo de fieltro (véase página 36) o una conejera para la familia de conejos (véase página 16). A medida que tu hijo adquiera más habilidades, podrá usar bloques más grandes, como piedras, para cruzar un estanque lleno de peces (véase página 62). Haced un puente con una tabla larga colocada en equilibrio sobre dos troncos, y le encantará cruzarlo. También puedes apoyar una tabla larga sobre un cojín y utilizarlo como ladera para que la descienda un coche o un tren de madera, o como tobogán para una muñeca. Haz un balancín colocando en equilibrio la tabla sobre un tronco circular, y los dos podéis disfrutar haciendo que las muñecas se balanceen arriba y abajo, cantando alguna canción infantil.

UNA ACTIVIDAD COMPARTIDA

Busca ramitas y troncos de distintas formas cuando vayas de paseo con tu hijo. Pelar la corteza de los árboles caídos es una actividad fantástica, sobre todo cuando tu hijo descubre las pequeñas criaturas que se esconden debajo. Las piñas son árboles para un bosque, mientras que las bellotas, las castañas de indias y otras semillas servirán de alimento para los animales y alimentarán la imaginación de tu hijo. Todo este material natural ayudará a que tu hijo agradezca la abundancia que le rodea, sobre todo si tratas cada descubrimiento con el asombro que merece.

Al preparar los diversos objetos encontrados con tu hijo, le das la oportunidad de clasificar, limpiar y preparar sus juguetes con cuidado. Una vez terminado el juego, tu hijo puede ordenar los juguetes en cestas de distintos tamaños, listos para jugar al día siguiente.

Recomendaciones

- La madera debería estar bien seca antes de usarla, para evitar que se rompa o astille. Seca las piezas en el horno o al aire, en el exterior; luego guárdalas dentro de casa durante una o dos semanas.
- Comprobar si la corteza está firme. Si no, pelarla.
- Escoger pedazos de madera sin grietas ni astillas.
- Las tablas deberían ser lo bastante macizas para que los niños puedan subirse.

Hacer bloques y tablas

Una vez hayas encontrado troncos, ramas, palos y trozos de corteza, prepáralos para el juego serrando cualquier borde áspero. También debes secarlos antes de usarlos, dejándolos al aire fresco para evitar que se enmohezcan (véase página 51).

Cómo hacerlo

Necesitarás

Trozos de madera

Troncos, ramas y palos secos
de distintos tipos
y tamaños

Corteza seca

Sierra

Lijadora eléctrica

Papel de lija

Aceite de linaza hervido o
aceite de oliva y trapos

1 Para obtener bloques y tablas de madera suaves, escoger buenos pedazos de madera y serrarlos en diferentes tamaños.

2 Para la madera sin tratar y los bloques de corteza, escoger piezas sólidas bien secas y serrar en distintos tamaños. Cortar también algunos por la mitad, longitudinalmente.

3 Si es necesario, redondear las esquinas de los bloques y tablas con una lija eléctrica. Utilizar papel de lija para conseguir que las superficies serradas queden suaves.

4 Untar todos los bloques y tablas con aceite de linaza hervido y frotar con un trapo cuando se haya absorbido el aceite.

Casa de muñecas

Una casa de muñecas permite que tu hijo pequeño juegue con su propia representación de un hogar, y estimula un tipo de juego imaginativo distinto a medida que empiece a imitar lo que ocurre en su casa, simulando diversas situaciones con los muñecos. Por lo general, las casas de muñecas son más adecuadas para niños mayores.

INTRODUCIR NUEVAS IDEAS

Un niño de tres años tal vez necesite que interactúes con él para contribuir al inicio del proceso, mientras que uno de cuatro años jugará con la casa hasta la saciedad. Colocando la casa en el centro de un escenario, se consigue que el niño pueda desarrollar más la imaginación. Por ejemplo, si es una casa para una familia, necesitará una mesa y sillas, un dormitorio, etc., y todo puede estar en el interior de la casa. No obstante, puedes ser más osado y hacer casas de distintos tipos y tamaños, con habitaciones anexas al edificio original; por ejemplo, un dormitorio o una cocina. Otro edificio puede ser un establo para los caballos. Coloca la casa sobre algunos bloques para obtener otro nivel; los animales se pueden poner a cubierto debajo, o tu hijo puede utilizar ese espacio para aparcar los coches. Construye peldaños hacia la casa colocando troncos de distintos tamaños en fila. Todas estas variaciones representan una oportunidad maravillosa de interactuar con tu hijo y desarrollar nuevas ideas juntos.

También disfrutará jugando con sus amigos, utilizando solo la casa al principio, para acabar construyendo y extendiéndola sin fin, a medida que se le vayan ocurriendo cada vez más ideas, con el objeto de incluir espacios exteriores como un corral o incluso una casa vecina. Los juguetes que viven en las casas se visitarán entre sí y pueden viajar, alimentando a los animales y reuniendo a los caballos. Este tipo de juego fomenta la interacción social, sobre todo para los niños más pequeños que tienden a jugar solos en vez de con otros niños. Aprende a integrarse cuando centra la atención fuera de sí mismo.

EJERCITAR LA IMAGINACIÓN

Utilizando juguetes y accesorios sencillos para la casa, tanto si están hechos a mano (véase página 58) como si se trata de cosas que hayas recogido de fuentes naturales, queda espacio para que la imaginación de tu hijo se desarrolle. Incluye algunas formas inacabadas para que tu hijo deje que su imaginación decida de qué objeto se trata. Una fresa de plástico perfectamente moldeada y coloreada solo puede ser una fresa, mientras que una bonita concha puede ser un plato, comida, un ratón o un sombrero, según la forma y el tamaño. Puede ser lo que tu hijo quiera que sea.

Recomendaciones

- Cortar la base para darle el tamaño o la forma de una tabla de madera o una estantería esquinera.
- Hacer casas de distintos tamaños según las bases que tengas a tu disposición.
- Una base un poco más rugosa puede ser un buen punto de partida para hacer un establo para los animales o un garaje para los coches.
- Tener telas de distintos colores para la cubierta.

«Hay una gran diferencia entre… los juguetes que fomentan el uso de la imaginación y los juguetes terminados que no dejan espacio para la propia actividad interior del niño.»

Rudolf Steiner, *The Roots of Education*

Hacer una casa de muñecas

Esta sencilla casa de muñecas se puede adaptar a una granja, una casa, un establo o una cueva. Cambiando el color de la tela, puedes transformar la casa para que encaje en diversos aspectos del juego.

Cómo hacerla

Necesitarás

Base de madera de unos
    35 x 25 cm

Lápiz

Banco

Sierra de marquetería

Papel de lija o lija eléctrica

Regla

Brocas

Caña flexible de 5 mm

Cúter

Pegamento

Aceite de linaza hervido o
    aceite de oliva y trapos

Tela fina

Tijeras de costura

Aguja de coser

Hilo de coser

1 Utilizar un lápiz para dibujar el contorno de la base en la madera. Colocar la madera en un banco y cortar con una sierra de marquetería.

2 Redondear y lijar bien todos los bordes.

3 Marcar la base de madera con agujeros para las cañas. La caña tiene que ir de un lado de la base al otro, así que los agujeros han de ser paralelos y estar separados unos 5 cm. Hacer los agujeros con una broca del mismo diámetro que la caña.

4 Utilizar un cúter para cortar trozos de caña de cada tamaño, aumentando la longitud un poco con cada uno. Así conseguirás un tejado con una forma bonita. Para una base de 35 cm de ancho, la altura podría ser 25 cm delante, reduciéndose hasta 18 cm detrás.

5 Pegar los extremos de la caña en los agujeros. Pulir la base y las cañas con aceite de linaza hervido, frotando con un trapo cuando el aceite se haya absorbido.

6 Cortar la tela fina para que pueda cubrir fácilmente la casa, tapándola completamente desde el tejado de delante hasta el suelo de detrás, y cubriendo ambos lados. Hacer un dobladillo en la tela antes de cubrir la casa.

Muebles de la casa

A tu hijo le encanta imitar lo que ve en el mundo que le rodea. La casa de muñecas (véase página 54), que puede convertirse en una representación de su propia casa, no estaría acabada sin muebles. Es importante darle a tu hijo la oportunidad de descubrir cosas nuevas por su cuenta. Los juguetes adecuados ayudan a los niños a representar experiencias vitales.

Cuando un niño pequeño descubre su mundo, todo es nuevo para él. Mira las cosas con ojos diferentes a los de un adulto. Cuando nosotros vemos algo, reaccionamos con el pensamiento antes de reaccionar con nuestras acciones. Cuando un niño ve algo que ocurre a su alrededor, reacciona inmediatamente. Para él, el juego ocupa una posición que, en el caso de los adultos, ocupan nuestras experiencias, ideas y pensamientos. Un niño necesita ser capaz de representar sus experiencias para hacerlas suyas, para crear una relación con ellas. Por lo tanto, necesita estar activo en el juego, imitando su entorno.

REFLEJAR LO QUE VE

Hay que pensarlo bien antes de ofrecerle muebles para la casa. En primer lugar, el mobiliario debería guardar relación con la casa en la que vive. Piensa en qué es más importante para él a esta edad —probablemente un sitio para dormir y para comer—, y empieza por los muebles para un dormitorio y una cocina/comedor. Una mesita y sillas, una camita y tal vez una lámpara son un punto de partida perfecto. Los muebles deberían ser lo bastante sencillos para poder hacerlos y terminarlos con la ayuda de tu hijo. Si él te observa mientras trabajas, le ofrecerás un fantástico modelo. Puede ayudar enroscando el sobre de la mesa a la base, por ejemplo, y luego podéis lijar y pulirlo todo juntos. Así, desarrolla un sentido de la valoración de la voluntad y el esfuerzo que inviertes en hacer y terminar los juguetes con tanto cariño y amor. Eso le animará a tratarlos también con cariño.

Más adelante podéis crear detalles para la casa: un mantel para la mesa, conchitas para hacer de platos, una alfombra con el dobladillo y los flecos hechos con cuidado, una almohada y una colcha para la cama y una pantalla de lámpara para dar luz. Cuando empieces, tu hijo pronto añadirá ideas propias, y la experiencia se volverá realmente creativa para ambos.

El juego de tu hijo se volverá aún más creativo si encuentra distintas maneras de utilizar la imaginación, como preparar té para su familia de muñecos, acostar al muñeco bebé, cuidar de un jardín lleno de árboles (piñas) o flores (cortadas del jardín y puestas en pequeños jarrones), o vegetales que están creciendo (cabezas de semillas del revés) detrás de la casa. No te olvides de tener telas de distintos colores, ya que estas pueden transformar la zona exterior en un estanque de jardín

Recomendaciones

- Escoger ramas del tamaño correcto para hacer muebles que encajen bien en la casa.
- Secar la madera antes de usarla (véase página 51).
- Puedes dejar la corteza, si es suave y segura.
- Hacer alfombras, mantas y manteles con retales de tela.
- Hacer el dobladillo de los bordes de la tela para que los accesorios sean suaves.
- Utilizar conchas como platos.

rodeado de troncos o conchas, o bien en un prado en el que pasten los caballos, o bien en un terreno de jardín que esté lleno de plantas. Pueden sacarse la mesa y las sillas al exterior los días en que haga buen tiempo,

momento en que la familia puede reunirse para hacer un picnic. Puedes llevar a la práctica una infinidad de ideas, y no dejarás de sorprenderte al comprobar que la actividad lúdica de tu hijo estimula tu propia imaginación.

Hacer los muebles de la casa

Puedes hacer los muebles que quieras, pero empieza por algunos elementos básicos reconocibles, como una cama, una mesa y sillas: piezas que le resultarán familiares a tu hijo, al tenerlas en vuestra propia casa.

Necesitarás

Ramas de madera seca de distintos tamaños

Sierra

Brocas

Destornillador

Tornillo de cabeza plana pequeño

Masilla para madera

Retales de tela

Cincel

Palillos

Pegamento

Espiga fina

Cartón fino

Masilla adhesiva

Papel de lija

Aceite de linaza hervido o aceite de oliva y trapos

Pinzas

Retales de fieltro

Aguja de coser

Hilo de coser

Tijeras afiladas

Hilo de lana

Lápices de colores

Cómo hacerlo

1 Para hacer una mesa, escoger un tronco suave o una rama para la base y cortar a la altura adecuada. Para la parte de arriba, cortar finamente un tronco más ancho.

2 Hacer agujeros en el centro de la parte superior y la base y atornillarlos, hundiendo ligeramente el tornillo y llenando el agujero con masilla para madera. Utilizar un retal de tela para hacer un mantel.

3 Para hacer un taburete, cortar una rama a la altura adecuada para que encaje en la mesa.

4 Para hacer una silla, cortar una rama a la altura adecuada para una silla con respaldo. Para el asiento, cortar por la mitad la rama, a la misma altura que el taburete. Cortar con cuidado el respaldo hasta llegar al corte del asiento. Acabar con un cincel.

5 Para hacer una cama, cortar dos rodajas finas de tronco para los extremos de la cama. En ambos, cortar un borde recto para que puedan sostenerse. Pegar un palillo debajo de la parte interior de cada extremo para que sirva de apoyo de la sección de la cama. Cortar la base de la cama con la longitud adecuada y pegar en su sitio. Utilizar retales de tela para hacer ropa de cama.

6 Para hacer una lámpara, cortar una rodaja de tronco para la base. Hacer un agujero en la base, utilizando una broca del mismo diámetro que la espiga. Cortar un trozo de espiga y pegar en su sitio.

7 Hacer una pantalla enrollando un semicírculo de cartón fino en forma de cono, y pegar el borde superior. Poner masilla adhesiva arriba de la espiga y, encima, la pantalla, empujándola.

8 Lijar y untar las piezas con aceite de linaza hervido, y frotarlas con un trapo cuando el aceite se haya absorbido.

9 Para hacer una muñeca con una pinza, cortar la pinza para que el muñeco tenga piernas con las que sostenerse. Para hacer el muñeco de un niño, cortar las piernas. Lijar hasta que quede suave.

10 Cortar un retal de fieltro para que encaje con el muñeco adulto. Su longitud debería abarcar desde el cuello (la zona marcada debajo de la cabeza redonda) hasta 1 cm por debajo del final de las «piernas». De ancho debe medir 1 cm más que el diámetro del cuello en la parte superior, más 2,5 cm en la parte inferior. Para vestir al muñeco del niño, pegar cintas de tela al cuerpo.

11 Hacer la costura lateral del vestido del muñeco adulto para formar un tubo e introducir la pinza. Hacer un punto suelto en el extremo del cuello del fieltro y apretar. Coser para asegurarlo.

12 Para darle estabilidad, levantar el dobladillo del vestido hasta que esté a la misma altura que la base de la pinza, y coserlo. Coser un chal encima de la parte superior del vestido de fieltro.

13 Pegar pedazos de hilo de lana para el pelo y dibujar los rasgos de una cara sencilla con lápices de colores.

Juego de pesca de fieltro

Muchos niños nunca han ido a pescar, o ni siquiera han observado a los barcos que llevan la pesca al puerto. ¿Has llevado alguna vez a tu hijo a un acuario a ver las distintas formas y colores de los peces? Sería fantástico poder organizarte para que experimente una de estas actividades. Imitará lo que ha visto y utilizará la imaginación para extenderlo al juego.

ENSEÑA A TU HIJO A PESCAR

Los seres humanos llevan miles de años pescando para buscar comida. Una vez le enseñes a tu hijo a pescar, lo considerará una actividad natural. Enséñale a lanzar la caña con suavidad al agua (aquella podría ser simplemente una tela de algodón azul extendida en el suelo), así como a balancear la caña por encima del hombro como hacen los pescadores más diestros, puede resultar arriesgado. Para atrapar a un pez, se requiere habilidad, ya que el imán de la caña tiene que entrar en contacto con el pez para levantarlo y dirigirlo con el balanceo hasta la cesta que lo espera. A medida que tu hijo se vuelva más habilidoso, disfrutará intentando pescar más de un pez a la vez para terminar con una cesta llena de peces de distintos tamaños, formas y colores.

Antes de hacer el pez, intenta ver algunos reales, tal vez visitando un proveedor de pescado o un mercado local donde los peces se muestren en depósitos, o consultando un libro ilustrado. Eso te dará ideas para hacer distintas formas y colores. Es divertido decorar tus peces con puntos brillantes o lentejuelas, para imitar el brillo y el destello de los peces vivos en el agua.

HORA DE JUGAR

Haz más de una caña para que tu hijo pueda pescar con sus amigos. Su imaginación se ampliará cuando él y sus amigos hagan barcos con mesas del revés, rodeadas de un mar de telas azules con peces nadando por todas partes. Cuelga cestas de cuerdas colocadas entre las patas de la mesa para que tu hijo se deslice de un extremo a otro del barco cuando clasifique los peces. Puede lanzar algún pez de nuevo al mar, para volver a pescarlo. Este juego se seguirá ampliando a medida que tu hijo crezca y empiece a utilizar la imaginación para navegar hacia tierras remotas, llevar la pesca a la orilla y venderla a la tienda local, que se puede colocar en otra parte de la habitación. A lo mejor se encuentra con piratas por el camino. Este juego tiene posibilidades infinitas permite que los niños interactúen entre sí de muchas y maravillosas maneras.

Recomendaciones

- Puedes utilizar ramas finas y fuertes en vez de espigas para las cañas de pescar.
- Utilizar cuerdas de distintos colores para el hilo de pescar, a fin de que cada niño tenga la suya.
- Utilizar tela azul para hacer un estanque.
- Hacer peces de varios colores, formas y tamaños.
- Ofrecer cestas donde tu hijo pueda dejar los peces pescados.
- Asegurarse de que las arandelas están bien sujetas tanto a los peces como a las cañas.
- Asegurarse de que las arandelas más pequeñas son de hierro, y no de aluminio, que no es magnético.

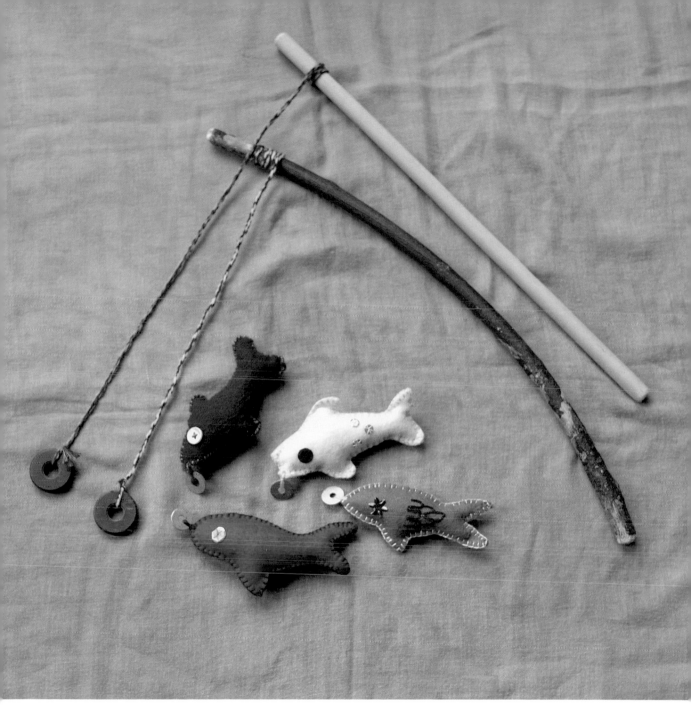

«*La educación más eficaz consiste en que un niño juegue entre objetos bonitos.*»

Platón

Hacer un juego de pesca

Este juego requiere una destreza considerable, así que se recomienda para niños de tres años en adelante. Tal vez a los más pequeños les resulte difícil de dominar, lo que podría provocar lágrimas y frustración.

Necesitarás

Lápiz

Fieltro fuerte

Tijeras afiladas

Lentejuelas

Aguja de coser

Hilo de coser

Aguja de bordar

Hilo de bordar

Lana de oveja cardada sin tejer*

Arandelas de acero de 1,5 cm de diámetro

Ramas finas secas o caña de 1 cm de diámetro

Sierra

Papel de lija

Cúter

Cuerda de tender

Pegamento

Arandelas magnéticas de 3 cm

* Cardar la lana de oveja sin tejer antes de usarla, estirando con suavidad para separar las fibras densas. Un «cardador» manual parecido a un peine acelera el proceso.

Cómo hacerlo

1 Dibujar un diseño del pez en un fieltro doblado y cortarlo para tener dos formas idénticas. Variar el tamaño y la forma del pez al hacer más.

2 Coserle lentejuelas o botones como ojos y bordar otros adornos, luego unir cosiendo cada par con punto de festón (véase página 28). Dejar una pequeña abertura para el relleno.

3 Rellenar suavemente con lana de oveja sin tejer, luego coser para cerrar el agujero. Coser con firmeza una arandela de acero en la zona de la boca.

4 Para hacer cada caña, utilizar una rama fina seca de unos 33 cm de largo o cortar un trozo de caña. Lijar bien los bordes de la rama o del trozo de caña.

5 Utilizar un cúter para marcar cada rama o trozo de caña a unos 3 cm hacia dentro de un extremo. Atar un trozo de cuerda alrededor de la muesca, y pegarla en su sitio para evitar que se escurra.

6 Atar una arandela magnética al extremo suelto de la cuerda.

Coronas y capas

Los disfraces suponen una diversión enorme para los niños de todas las edades, y existen posibilidades infinitas para el juego imaginativo con una serie de coronas, capas, alas de hada y ropa de juego. A menudo circunstancias externas estimulan el juego y, a pesar de que los niños tienden a imitar lo que ven, también utilizan la imaginación para ampliar lo que ya han asimilado.

ESTIMULAR EL JUEGO CREATIVO

Hasta los tres años, los niños interactúan de forma entusiasta con su entorno; pero también quieren permanecer cerca de la madre, el padre o el cuidador, trabajando o jugando junto al adulto. Poco a poco se atreven a jugar con otros niños, pero su principal preocupación sigue siendo su propio yo, descubrir de lo que es capaz el cuerpo y ser más consciente del impulso que los lleva a querer hacerlo por sí mismos.

Sin embargo, entre los tres y los cinco años los niños desarrollan nuevas facultades, las de la memoria y la imaginación. Empiezan a transformar por instinto las cosas de su entorno, y las utilizan de un modo distinto a su finalidad original. Ven un objeto que estimula un recuerdo, y su imaginación empieza a funcionar. Para

jugar así de forma imaginativa, los niños tienen que haber visto o experimentado ya una situación y, a esta edad, por lo general eso significa basarse en actividades domésticas y tal vez acontecimientos únicos y memorables como una boda o unas vacaciones.

Uno de sus libros de cuentos preferidos también puede disparar este tipo de juego. A los niños les encanta que les lean cuentos y contemplar libros ilustrados, muchos de los cuales contienen dibujos de hadas, príncipes y princesas, la inspiración perfecta para disfrazarse. Las coronas doradas y las capas hacen que los niños se sientan majestuosos, y a las princesitas les encantan las telas rosas o de colores en las que poder envolverse. Estos elementos le dan una dimensión distinta al juego de un niño, lo transforman en alguien distinto y le permiten convertirse en «el otro».

HERRAMIENTAS DE FANTASÍA

Puedes cortar cuadraditos de algodón o seda, teñidos en colores sencillos, para hacer tocados o para colocarlos en el cuello de un niño y atarlos por dos esquinas, delante, a fin de crear una capa. Se pueden envolver telas un poco más grandes alrededor de la cintura para hacer vestidos que cuelguen hasta el suelo. También se puede llevar un cuadrado de algodón atándoselo alrededor del cuerpo como un *sari* o un *sarong*, o atando una esquina a cada muñeca para tener alas. Si se hacen alas, sirve de

Recomendaciones

- Utilizar telas de distintos colores para las capas.
- Escoger fieltro grueso y fuerte que no se deshilache.
- Para hacer cintas de la cabeza sencillas, haz trenzas con trozos de lana cardada y átalas según el tamaño.
- Anima a tu hijo a encontrar otros usos para los cuadrados, tal vez como estanque para el juego de pesca (página 62) o un campo para los caballos de fieltro (página 36).

ayuda sujetar la tela a la parte trasera del cuello de una camisa o vestido para darle más forma a las alas.

Siempre deberías hacer un buen dobladillo en la tela y guardarla bien doblada en una cesta cuando no se use. Se puede comprar algodón teñido muy barato en la mayoría de mercerías o tiendas de tela, o bien comprar tela suave o pañuelos de seda en tiendas de segunda mano y cortarlos. Busca colores y telas naturales que atraigan los sentidos, y escoge colores lisos que no sean demasiado brillantes.

Hacer coronas y capas

Estos cuadrados de algodón son la ropa de disfraz más sencilla.
Si quieres, corta más cuadrados de tela de colores para hacer un tocado
y cubrir la cabeza de tu hijo debajo de la corona.

Cómo hacerlo

Necesitarás

Algodón de colores

Tijeras de costura

Alfileres

Aguja de coser

Hilo de coser

Fieltro

Pegamento

Lentejuelas

Hilo de lana de colores

Goma elástica de 1 cm
de ancho

Aguja de bordar

Hilo de bordar de colores

1 Para hacer capas y tocados, cortar cuadrados de 1 metro y 50 cm de algodón. Hacer el dobladillo en todos los lados y planchar.

2 Para hacer una corona, decidir la forma preferida para la parte delantera y cortar de una tira de fieltro doblado.

3 Coser o pegar adornos en un lado, utilizando retales de fieltro, lentejuelas y lana de colores atada en forma de flores.

4 Cortar un trozo de goma del tamaño adecuado para la cabeza de un niño cuando esté unida a la corona. Introducir los extremos entre los dos trozos de fieltro y sujetarlos con alfileres.

5 Coser las dos piezas de fieltro para unirlas, utilizando el punto de festón (véase página 28) e hilo de bordar de colores. Quitar los alfileres.

Interacción

Interacción

Los niños desarrollan habilidades sociales a través del juego. Este no solo es importante para ellos como individuos, sino para la sociedad en conjunto, ya que no podemos esperar que haya una cohesión social entre adultos si no lo practicamos de pequeños. Los niños buscan la interacción con otros niños de forma activa.

Adquirir las habilidades sociales

Los niños juegan «aparte» en el segundo año, y juegan «con» el tercer año. En el cuarto, se convierte en un juego más organizado. Se debería tratar toda invitación a participar con el debido respeto.

Los niños pueden ser blasfemos, molestos, calculadores, manipuladores y a veces incluso crueles. A diferencia de los adultos, que, por lo menos en teoría, tienen el potencial de trabajar por sí mismos, los niños y los jóvenes necesitan la ayuda de los adultos para cambiar. Las habilidades sociales se aprenden a través del contacto social. Lograr la visión de un mundo mejor implica empezar de pequeño: «Si queremos alcanzar una paz real en el mundo, tendremos que empezar por los niños», según palabras de Gandhi. Nuestras comunidades están formadas por un consentimiento explícito o implícito, y no es justo que un niño crezca sin ser consciente de lo que se espera de él y de cómo llegar ahí. El juego es más que una simple transmisión cultural, por supuesto, pero contiene elementos de enfoques y valores compartidos.

Tecnologías intrusivas

Si quieres que tu hijo desarrolle buenas habilidades sociales, sé precavido con la televisión, el DVD y los videojuegos. Como todas las tecnologías, tienen su lugar, pero no necesariamente en la primera infancia. Igual que cambiamos el mundo a mejor o peor mediante la tecnología, esta modifica nuestras conciencias.

Investigación sobre medios electrónicos

Investigaciones recientes confirman la preocupación sobre el efecto en los niños de una excesiva exposición a la televisión al descubrir, por ejemplo, que las imágenes que cambian rápido pueden estimular el cerebro de una forma anormal. La American Academy of Paediatrics ahora recomienda que los niños de menos de dos años no vean televisión en absoluto, y cita más de mil estudios que «apuntan de forma abrumadora a una conexión causal entre la violencia en los medios y un comportamiento agresivo en los niños». Estudios presentados en 2007 en *New Scientist* han demostrado que los videojuegos aumentan la agresión social, y un informe de 2006 del National Children's Bureau de Gran Bretaña destaca que los niños más pequeños «se vuelven más agresivos después de jugar o ver un videojuego violento. Esta prueba indica que los niños (por lo menos a corto plazo) copian o imitan lo que han visto en la pantalla».

Los niños encuentran constantemente maneras de entretenerse si les dejan, y los períodos de inactividad pueden ser fructíferos. Evita ceder a la tentación de sugerir ver la televisión. El constante deseo de estar entretenido puede convertirse en una adicción, y provocar que ya no se intente explorar los propios recursos. Eso no es bueno para el niño pequeño, que debería moverse físicamente por el bien de su futura

salud, desarrollar sus capacidades de aprendizaje y explorar el mundo de la fantasía y la imaginación. Durante los primeros años, un niño necesita principalmente asentar las bases de sus destrezas de alfabetismo, obtener una experiencia directa de los valores humanos comunes, fomentar sus capacidades comunicativas, desarrollar la voluntad de superar frustraciones e implicarse con la gente en toda su complejidad. Colocar a tu hijo frente a la televisión le niega la oportunidad de cubrir esas necesidades.

El hecho de ver la televisión debería ser para los niños pequeños una actividad familiar que se controla para que sea adecuada y se comenta para poder poner los programas en contexto y limitarlos. Es difícil corregir el efecto negativo que se consigue al poner una televisión en la habitación de tu hijo.

El «eduentretenimiento» interactivo puede ayudar a ciertos niños con discapacidades, entre ellas los déficits de aprendizaje y problemas de atención, y, por supuesto, puede ser divertido. Sin embargo, para los niños en general, esta tecnología necesita un asesoramiento y control cuidadosos. En la mayoría de situaciones, los juguetes sencillos hechos con tu tiempo, paciencia y cariño serán más eficaces.

Esta visión de los peligros de los medios electrónicos no es producto de un concepto erróneo de la «edad dorada» de la infancia, ni es una reacción alérgica al mundo moderno. Por el contrario, surge de la experiencia de los profesores Steiner que han trabajado con niños de seis años que no sabían jugar y necesitaban que les enseñaran los elementos de su propia infancia. Esos profesores también vieron las consecuencias posteriores en clase. El canguro electrónico implica riesgos para tu vida familiar, así que trátalo con cuidado.

Los elementos del juego social

El esquema o patrón conceptual de juego es objeto de debate y, en muchos sentidos, sigue sin quedar claro, ya que un niño puede cambiar de repente de una forma a otra. Sin embargo, puede ser de ayuda establecer ciertas

categorías, con la condición de que no sean definitivas. El desarrollo de un niño cada vez se considera más interpersonal, además de intrapersonal. En el juego social, al que los niños también aportan sus características individuales, podemos observar modalidades como el juego «paralelo», «de espectador» y «cooperativo». Jugar de cualquiera de estas maneras con tu hijo te dará la oportunidad de observar el mundo desde su punto de vista. Sentirá que le estás dedicando toda tu atención, y le ayudarás a crear una relación duradera. También aprenderás a comunicarte de una forma más eficaz con él. Los niños con menos tendencia a la expresión verbal pueden manifestar emociones y pensamientos a través del juego.

A los dos años, en lo que a veces se llama «juego simbólico», un niño puede dar vida a sus muñecos. Permite que el muñeco ejecute acciones, como beber té, que ha visto y ahora imita. Está en el proceso de desarrollo de un estado en el que, según Steiner, «a los niños les interesa principalmente su propio cuerpo; no les importa el mundo exterior sino que poseen una conciencia onírica de estar encerrados en una esfera, que en realidad percibe los efectos del mundo exterior como cuadros», a un estado en el que también puede colaborar con otras personas y adaptar su comportamiento en el juego para lograr objetivos sencillos. Se comunica con breves afirmaciones verbales y gestos faciales y con las extremidades.

A partir de los tres años, los niños empiezan a concebir que existen otras mentes, comprenden poco a poco el comportamiento e intenciones de los demás y participan en juegos de mentiras compartidas con un centro de atención común. En el juego pueden moderar progresivamente su comportamiento para adaptarse a los demás componentes de su grupo, y hacia los cuatro y cinco años son extremadamente sensibles entre sí. También pueden influir en los sentimientos de otras personas intencionadamente.

El creador de mundos

En esta etapa el juego contiene narrativa y significados. Cuando un niño participa, se convierte en un «creador del mundo» y produce un espacio paradójico en el que, sin dejar de entender la diferencia entre realidad y fantasía, al mismo tiempo basa esta en aquella. Puede ser explícito fingiendo y reconocerlo en otras personas. En palabras del poeta Coleridge, se trata de «una suspensión de la incredulidad». Es capaz de definir el juego él solo y de saber que simplemente forma parte de la condición de niño.

Deberíamos recordar que jugar con niños de la misma edad no es lo mismo que hacerlo con adultos, y que el niño desarrollará diversas estrategias. Los adultos tienden a buscar objetivos, mientras que los demás niños pueden ser imaginativos o explorar sin esa presión. Esto permite soluciones insólitas o perspicaces para problemas inesperados. El tiempo posee una dimensión distinta, y la motivación procede de otras fuentes. Juntos, un niño y sus compañeros pueden disociarse de la representación del mundo que le ofrecen los sentidos y encontrar nuevos universos. La actividad física que generan juntos tiene un efecto positivo en el crecimiento y el desarrollo neurológico. Como padres, deberíamos intentar garantizar un buen equilibrio entre la interacción familiar, con niños de la misma edad y el juego solitario.

Descanso diario

Los niños pequeños son las personas más activas físicamente de la sociedad, y el juego ocupa la mayoría de las horas que están despiertos. A los cuatro años el niño ha doblado su longitud desde que nació, a pesar de que la tasa de crecimiento entre los dos y los cuatro años representa solo la mitad que la de los dos primeros años. El cuerpo de un niño es lo bastante flexible para enfrentarse a pequeñas caídas, y su agilidad tiene como resultado el rápido desarrollo de las habilidades motrices y un creciente disfrute de su destreza. Esta movilidad fortalece órganos, como el cerebro, donde el córtex cerebral alcanza su completo desarrollo a los cuatro años. La energía invertida en la actividad social también tiene sus exigencias, y las consecuencias van más allá del cansancio provocado por el esfuerzo físico. La práctica de la simpatía, la empatía y la mímesis también requiere una entrada de información intensiva. Los niños necesitan momentos tranquilos durante los cuales interactuar consigo mismos para «digerir» las experiencias del día, así como un buen ritmo de sueño.

Confiar en el mundo

Un niño puede dejarse llevar por completo en determinadas situaciones, y poseer una gran confianza en los demás por naturaleza. En *The Foundations of Human Experience*, una serie de conferencias de formación de profesores que se dio en el primer colegio Steiner Waldorf en 1919, Steiner sugirió que era una forma de devoción. La devoción es el estado que se produce al alcanzar un entendimiento, no a través del análisis intelectual ni de enfoques científicos, que en cierto modo nos distancian, sino dejando que las cosas penetren en tu alma. Esta franqueza muestra cómo confía un niño en el mundo y que, a menos que se le enseñe lo contrario mediante una experiencia amarga o una intervención negativa, lo considera bueno.

Esta capacidad de entrega se manifiesta en la imitación, pero también es clave en la forma como juegan los niños entre sí. Dicho estado de ánimo significa que el niño al principio ve a los adultos que le quieren a su alrededor como si fueran perfectos, aunque más adelante nuestras imperfecciones se le hagan más aparentes. Esto es interacción en otro nivel. Steiner, además, sugiere que si los niños se educan con esta actitud, muchos después, cuando sean adultos, serán capaces también de aportar beneficios espirituales a los demás, porque han desarrollado una fuente interior de reverencia.

Marionetas de dedo

Pasamos horas con nuestros hijos, hablando y haciendo cosas con ellos. Por lo general, esta interacción es habitual y, por lo tanto, inconsciente, sin que necesariamente prestemos atención a cómo nos movemos, sonamos o actuamos. Tampoco tenemos tendencia a ser conscientes del efecto que causamos en nuestros hijos mediante esta interacción.

Cuando los niños interactúan entre sí, son aún menos conscientes de sus acciones, y los más pequeños en concreto aún no tienen conciencia de la impresión o efecto que puedan tener en otro niño. Para tomar conciencia de nuestras interacciones con nuestros hijos, debemos vivir siempre «el momento», estar de verdad presentes en todo lo que decimos o hacemos. Es toda una tarea para los padres ocupados, pero merece la pena hacer el esfuerzo. Jugar a juegos sencillos, contar cuentos o cantar con tu hijo pueden ser buenos puntos de partida, y es maravilloso cuando ves que un niño reacciona alegremente. ¡Diez minutos de juego consciente, de «estar ahí» para tu hijo, son infinitamente más valiosos que una hora de mero «estar por ahí»!

JUGAR CON MARIONETAS DE DEDO

Utilizar estas sencillas marionetas de dedo como una forma de interacción te permite inventar historias, hablar directamente con una marioneta en el dedo de tu hijo, e incluso cantar o contar cuentos. Interpreta un espectáculo para niños utilizando marionetas de dedo, y la respuesta será abrumadora. Los niños siempre se quedan del todo absortos en un cuento. Si tú te diriges a una marioneta directamente, como si fuera real, los niños también lo harán y despertarás su imaginación. También puedes usar las marionetas para representar las acciones de una canción infantil, como esta:

Pajaritos a bailar.
Cuando acabas de nacer,
tu colita has de mover.

Una alternativa es usar las marionetas para contar un cuento, tal vez sobre una mamá pájaro que le explica a su hijo cómo emprender su primer vuelo del nido, para volar por la habitación y volver. Las marionetas ayudan a expandir el juego imaginativo y proporcionan un incentivo para la interacción. A medida que tu hijo empiece a interactuar con otros niños de forma más directa, querrá inventar espectáculos de marionetas con ellos. Al crear una familia de pájaros que se pueda sentar en las ramas de un árbol, o en un pequeño nido de lana colocado en equilibrio en la rama, fomentarás las habilidades comunicativas de tu hijo, ayudándole a adquirir el lenguaje que necesita para contar él una historia.

Recomendaciones

- Hacer marionetas de distintos tamaños para que encajen en los dedos de los padres y del niño.
- Utilizar diferentes combinaciones de colores para despertar el interés.
- Hacer diferentes diseños: un perro, un gato o un conejo.
- Hacer personas utilizando el diseño para las marionetas de pie (p. 80) adaptado para encajar en el dedo.

Hacer marionetas de dedo

Las marionetas deben encajar con comodidad en el dedo sin que se escurran durante el juego, así que hazlas de dos tamaños distintos: el más grande, para ti, y el más pequeño, para tu hijo.

Necesitarás

Papel de calcar

Lápiz

Fieltro de varios colores

Alfileres

Tijeras de costura

Pegamento

Aguja de bordar

Hilo de bordar

Lana cardada sin tejer*

* Cardar la lana de oveja sin tejer antes de usarla, estirando con suavidad para separar las fibras densas. Un «cardador» manual parecido a un peine acelera el proceso.

Cómo hacerlas

1 Dibujar un contorno de pájaro en papel de calcar, tal como se muestra en la siguiente ilustración. El tamaño final tendría que encajar en un dedo, así que no debería medir más de 8 cm de largo para un niño y 10 cm para un adulto.

2 Sujetar los patrones con alfileres al fieltro doblado para poder cortar dos de cada forma.

3 Para hacer una marioneta grande, cortar círculos de fieltro para los ojos y pegarlos en su sitio. Para hacer un pájaro más pequeño, crear los ojos con algunos puntos de hilo de bordar.

4 Dibujar patrones para las alas interiores y exteriores en papel de calco. Sujetarlos con alfileres al fieltro doblado y cortar dos alas interiores y dos exteriores. Pegar cada ala pequeña sobre una grande y luego pegar las alas a los dos lados del pájaro.

5 Ribetear (véase página 39) los dos lados del pájaro y dejar un hueco para introducir un dedo en la sección de la cola.

6 Rellenar un poco la cabeza con lana para darle un poco de forma.

7 Para hacer marionetas de otros animales, crear plantillas siguiendo estos sencillos diseños (a continuación). Volver a dibujar para adaptarlo al tamaño del dedo de tu hijo.

Marionetas de pie

Al darle a tu hijo el juguete más sencillo, le ofreces una oportunidad de crear su propio mundo. Una piña puede convertirse en un cerdo; un poco de lana, en un corderito; una piedra, en una ratón. Esta creatividad, alentada por el hecho de darle la libertad a tu hijo de desarrollar su memoria e imaginación, emergerá en los años siguientes, cuando adquiera una mentalidad abierta y adaptable.

EL JUEGO BASADO EN LA OBSERVACIÓN

Las marionetas erguidas son un añadido útil a la colección de juguetes de tu hijo, ya que las utilizará de muy distintas maneras. Para empezar, puedes pasar cierto tiempo interactuando con tu hijo, inventando historias que impliquen actividades cotidianas y utilizando las marionetas para representar lo que ocurre en la vida diaria.

Tu hijo absorbe lo que ve, oye y toca, así que eso se convierte en parte de él. Por lo tanto, debes asegurarte de que lo que le ofreces en su entorno es agradable, puro y auténtico. Si mueves una marioneta dando saltitos, por ejemplo, tu hijo te imitará. No solo hará lo mismo con su marioneta, sino que puede que los movimientos calen tan hondo en su ser que empiece a moverse de la misma manera. Mientras juegas con tu hijo, deberías observar mucho mejor lo que absorbe de su entorno. Esto te ayudará a hacer que tus movimientos sean más lentos, regulares y pausados, a hablar solo cuando realmente tengas algo importante que decir y a cantar con voz suave.

EL VALOR DE LAS MARIONETAS

Las marionetas atraen todos los sentidos: contienen movimiento, color y sonido. Puedes empezar por crear un escenario sencillo y utilizar las marionetas para interactuar con tu hijo. El siguiente paso es crear un espectáculo de marionetas sencillo, utilizando las marionetas para representar una historia, como «El hombrecito de pan de jengibre» o «El nabo», el cuento de los hermanos Grimm. Estos cuentos son lo bastante sencillos para que tu hijo pueda recrearlos a partir de su memoria visual y su propia imaginación para interpretar espectáculos de marionetas con sus amigos más adelante.

Para avanzar, podrías darle a cada marioneta una identidad permanente, crear un mundo para ellos y contar una historia distinta sobre ellos cada día. Al hacerlo, introduces la idea de personajes y personalidades que se desarrollan con el paso del tiempo. Tu hijo ampliará el juego en el suelo introduciendo animales, bloques de madera (véase página 51), telas y cualquier cosa que tenga a mano, cuando juegue con estas marionetas a medida que vaya creciendo.

Recomendaciones

- Hacer marionetas masculinas y femeninas cambiando el pelo.
- Añadir accesorios que distingan cada marioneta, como una capa o un sombrero, por ejemplo.
- Hacer marionetas más pequeñas como niños y un bebé para que la madre lo lleve en cabestrillo.
- Bordar o decorar el cuerpo de fieltro antes de coserlo a un cilindro.
- Dibujar rasgos faciales con lápices de colores en vez de coserlos.

«*Observando un sencillo espectáculo de marionetas sobre una mesa, pueden surgir estímulos valiosos para el juego del niño.*»

Bronja Zahlingen, *A Lifetime of Joy*

Hacer una marioneta de pie

Utiliza este proyecto para realizar una serie de marionetas de distintos tamaños. Puedes hacer las medidas mayores o menores, pero mantén siempre las proporciones aproximadamente iguales.

Cómo hacerla

Necesitarás

Lana de oveja cardada
    y sin tejer*

Hilo de tejer

Tijeras afiladas

Tela de algodón de color carne

Aguja de coser

Hilo de coser

Aguja de bordar

Hilo de bordar rojo y azul
    o marrón

Alfileres (opcional)

Fieltro de colores

Cartón fino

Lana de oveja cardada sin tejer
    del color del pelo*

Retales de tela de colores
    (opcional)

* Cardar la lana de oveja sin tejer antes de usarla, estirando con suavidad para separar las fibras densas. Un «cardador» manual parecido a un peine acelera el proceso.

1 Hacer una cabeza firme para la marioneta utilizando lana de oveja sin tejer para formar una bola prieta, de unos 5 cm de alto. Envolver la bola en un cuadrado de lana sin tejer y atar el sobrante con hilo de tejer. Dejar que cuelgue un poco de lana sobrante para darle estabilidad al cuello.

2 Envolver la cabeza con fuerza en un cuadrado de tela de algodón de color carne, con el grano del tejido en vertical de arriba abajo de la cara. Colocar los bordes uno encima de otro en la parte trasera de la cabeza, doblar hacia abajo el borde cortado y hacer una costura vertical.

3 Meter el borde superior de la tela de color carne en la parte trasera de la cabeza, doblar hacia abajo los bordes cortados y coser con cuidado para sujetarlo. Atar un trozo de hilo en la base de la cabeza para formar el cuello y dejar que sobresalga un poco de relleno de lana.

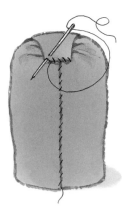

4 Coser los rasgos faciales utilizando de forma adecuada hilo de bordar. Hacerlos sencillos y utilizar alfileres como guías para las posiciones, si se quiere (o dibujar los rasgos).

5 Hacer el cuerpo. Cortar un trozo de fieltro de unos 12 x 20 cm, y unir los bordes cortos para formar un cilindro. Darle la vuelta al cilindro para que la costura quede en el interior. Doblar hacia dentro el borde superior del cilindro de fieltro, si es necesario, y hacer una línea de puntadas cerca del borde superior.

6 Apretar los puntos y, en el cuello, coser el cilindro del cuerpo a la cabeza.

7 Cortar un pequeño disco de cartón que encaje en la base del cilindro y un disco de fieltro un poco más grande que encaje encima del disco de cartón, para formar la base de la marioneta.

8 Rellenar el cuerpo de fieltro con lana, sin dejarlo demasiado compacto. Insertar el disco pequeño de cartón, colocar el de fieltro encima y coserlo con cuidado al cilindro de fieltro.

9 Coser un mechón de lana de oveja sin tejer o de hilo de lana en la cabeza del muñeco y añadir ropa si se quiere vestir la marioneta, haciéndola con retales de tela de colores.

Títeres

Rudolf Steiner dijo que «los espectáculos de títeres son un antídoto de los efectos de la civilización moderna». Ver la televisión es una actividad pasiva que a menudo hace que después los niños estén hiperactivos. Sin embargo, cuando representas una historia para un niño, este permanece tranquilo y pensativo, la imaginación para interpretar lo que ve en el espectáculo.

REALIZAR UN ESPECTÁCULO

Contar una historia mientras se mueven títeres es una habilidad que requiere práctica y que servirá de inspiración a tus hijos para hacerlo también. Puedes recurrir a otra persona aparte de ti para contar la historia y poner música, o implicar a tu hijo dejándole mover los títeres mientras tú narras.

Los títeres suponen un avance respecto a las marionetas de pie (véase página 80), ya que jugar con ellos requiere unos dedos más hábiles y la destreza que se adquiere con la práctica y la edad. Por eso son más adecuados para niños de cuatro años en adelante. Tu hijo

adquirirá la habilidad de manejar los títeres con bastante facilidad si primero le enseñas a hacerlo bien. Los títeres de cuerdas deberían tener movimientos fluidos y parecer que flotan por encima de la tela dispuesta como si fuera el suelo. Es importante que permanezcan «en el suelo», que no se arrastren de modo que parezca que caminan de rodillas ni queden suspendidos por encima del suelo como un abejorro.

Tener a un adulto que controla visiblemente los títeres resulta reconfortante y también ofrece una oportunidad al niño pequeño de imitar lo que estás haciendo. Ve tus logros y tus fracasos, y está contento de que tú estés al mando. No se esconde nada de lo que se hace, y eso le da a tu niño la confianza para poder hacerlo también. Absorbe los movimientos de los títeres y, cuando tenga la suficiente confianza y destreza, él mismo podrá reproducirlos. Sentirá tal interés por lo que está ocurriendo en el cuento, que tu presencia, tus acciones y tu voz no serán una distracción.

EL PODER DE CONTAR CUENTOS

Los cuentos de hadas y los relatos que puedas memorizar o inventarte pueden centrarse en encuentros y experiencias humanas. Los títeres darán vida a esos guiones para tu hijo. Él se sentará, absorto y en silencio, y seguirá la escena a medida que se desarrolle. Si las figuras son sencillas, con colores adecuados para los distintos personajes, los poderes creativos de tu hijo se

Recomendaciones

- Utilizar telas ligeras de un solo color que floten cuando muevas el títere.
- Pensar qué colores resultan adecuados para los personajes de los títeres. Haz que sean telas lisas, no estampadas.
- Para las cuerdas, utilizar hilo que no se retuerza ni se deshilache.
- Para un mayor control de las manos, atar los hilos de las cuerdas a la zona del pulgar de las manos (no a las puntas de los dedos).
- Añadir coronas y joyería a los títeres cosiendo más tela, cartón, lentejuelas u otros adornos, siempre y cuando estos sean sencillos.

verán implicados y su imaginación empezará a trabajar en la historia. A la edad adecuada, tu hijo copiará esos temas a su manera.

La seda es un tejido ideal para hacer estos títeres, ya que es flotante. No se enganchará en los objetos o juguetes que conforman el escenario, sobre todo si se le han hecho buenos dobladillos. También puedes utilizar algodón, si lo prefieres. Haz que los colores sean lo más suaves y lisos posible. Cuando haya que dibujar la cara, recuerda que los rasgos tienen que ser sencillos, para que así un títere pueda adoptar la expresión que desee tu hijo.

Hacer un títere sencillo

Puedes hacer este títere rápido y fácil con telas ligeras de un solo color que floten cuando muevas el títere. Piensa en utilizar algodón ligero, seda y tejidos tipo satén, como los pañuelos de seda viejos.

Cómo hacerlo

Necesitarás

Lana de oveja cardada
    y sin tejer*

Tela de algodón de color
    carne

Tijeras de costura

Tela sedosa ligera
    y de colores vivos

Aguja de coser

Hilo de coser

Piedrecitas planas

Hilo fino de nailon

1 Para hacer la cabeza y el cuerpo, tomar un cuadrado de 20 cm de lana de oveja sin tejer y enrollarlo en forma de salchicha. Cortar un pedazo de 22 cm de tela de color carne.

2 Envolver con fuerza la lana de oveja sin tejer con la tela de color carne y coser con firmeza en la espalda del títere. Asegurar detrás de la cabeza y en la base del cuerpo. Atar el cuello para crear una cabeza de unos 7 cm de largo, empujando los pliegues hacia la parte trasera.

3 Para hacer la prenda principal, cortar un cuadrado de 45 × 45 cm de una tela sedosa, doblar al bies y hacer el dobladillo en los bordes.

* Cardar la lana de oveja sin tejer antes de usarla, estirando con suavidad para separar las fibras densas. Un «cardador» manual parecido a un peine acelera el proceso.

4 Cortar una forma de V en el centro, lo bastante grande para que pase la cabeza. Dar una puntada alrededor de la abertura del cuello, apretarlo y coser con firmeza alrededor del cuello. Darle la vuelta a las «mangas» a la altura de los brazos y coser los extremos hasta debajo del cuello.

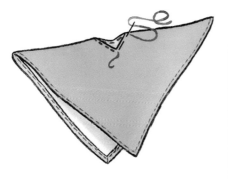

5 Para hacer las manos, cubrir dos piedrecitas con trocitos de tela de color carne y atar para dar la forma de las muñecas. Coser las manos en los extremos de las mangas.

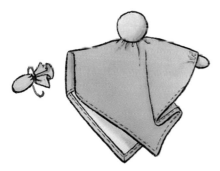

6 Cortar dos pedazos de hilo de unos 54 cm de largo, y otro de unos 35 cm. Atar los hilos más largos a las muñecas, o coserlos a la posición del pulgar. Coser el tercer trozo a la parte superior de la cabeza. Atar los tres hilos juntos a unos 7 cm de los extremos y, con el sobrante, crear un aro para colgar. Cuando ates los hilos, comprueba que los brazos cuelguen más abajo que a la altura de los hombros.

Cuadros móviles

No hay nada más tranquilo, atractivo ni enriquecedor que pasar el rato contándole cuentos a tu hijo. Le encanta esta interacción íntima, la atención que le prestas y la historia que le estás contando. Los cuadros móviles te permiten dar rienda suelta a tu imaginación, al tiempo que fomenta la de tu hijo.

HISTORIAS SOBRE TU HIJO

«Leer los dibujos» es el primer paso del alfabetismo, y conducirá de forma natural a la lectura las palabras cuando tu hijo esté listo. Nada le gusta más que escuchar historias sobre sí mismo: él es el centro de su mundo y, por lo tanto, todo lo demás gira a su alrededor. Empieza inventando historias sobre actividades diarias y hechos que le ocurren a tu hijo. Por ejemplo, le fascinará oírte relatar los acontecimientos del día, sobre todo si encuentras un momento tranquilo para hacerlo. Sentarse con calma después de una mañana agitada o a la hora de dormir trasmite calma para lo que tenga que venir (¡esperemos que el sueño!). Guardar cada día un momento de tranquilidad para compartir historias es beneficioso para ambos.

UTILIZAR DIBUJOS PARA CONTAR UNA HISTORIA

Rudolf Steiner decía que un niño necesita dibujos que se muevan. Intuía que esta era una buena manera de transformar una imagen inanimada en la representación de una acción viva. Hacer un cuadro móvil sencillo para tu hijo te da la oportunidad de inventar cosas nuevas continuamente, inspirándote en las actividades diarias y transformándolas en historias para el disfrute de tu hijo.

Unas representaciones sencillas en el cuadro son suficientes: no hace falta que haya palabras que le distraigan, sino solo dibujos que contengan personajes que se puedan mover. Una vez hayas hecho un dibujo sencillo, como el barco en el mar, puede empezar a desarrollarse cualquier historia. ¿De dónde viene el barco? ¿Adónde va? ¿Qué aventuras corren los personajes que viven en este barco al zarpar de su casa?

Con un niño pequeño, siempre es importante incluir muchas repeticiones en una historia. Un cuento debería tener un principio y un final, que sea satisfactorio por sí mismo. A ser posible, debería incluir una canción o una rima, que tu hijo aprenderá gracias a la repetición constante. También se debería contar la historia una y otra vez, tal vez incluso durante una semana o más, antes

Recomendaciones

- Si se usa cartón impreso, dibujar el diseño en papel y pegarlo al cartón.
- Se pueden cortar imágenes de revistas y pegarlos al fondo.
- Redondear las esquinas del cuadro acabado le da su propio marco.
- Este método se puede adaptar para hacer felicitaciones sencillas.
- Asegurarte de que tu hijo puede mover todas las piezas con libertad, y ampliar las ranuras si es necesario.

de ampliarla para incorporar otro acontecimiento o hecho, pero siempre con el mismo final. No es de extrañar que expresiones como «érase una vez» y «felices para siempre» se recuerden tan bien.

DESARROLLAR UN TEMA

Tu cuadro puede cambiar a medida que te vuelvas más audaz, y puedes crear más personajes para usarlos.

El dibujo de la casa es arquetípico; todos los niños viven en algún sitio, así que ofrece cierta seguridad a tu hijo. ¿Y quién vive en (o cerca de) la casa? Él, o sus amigos, o animalitos, pájaros y criaturas que acuden de visita. Si utilizas una serie de personajes distintos en los espacios cortados, él se mantendrá interesado y entretenido de un modo sosegado y suave mientras los mueve.

Hacer cuadros móviles

Utiliza los movimientos adecuados; por ejemplo, mueve el conejo arriba y abajo si salta, y de lado a lado si corre. Puedes adaptar los dibujos y cambiar el barco por un pato, y así en adelante.

Cómo hacerlo

1 Hacer el dibujo de una casa, pintar o colorear el fondo y redondear las esquinas.

2 Dibujar los añadidos desplegables en cartón y poner a cada uno un mango largo que sobresalga por el borde inferior del dibujo.

3 Cortar ranuras en el dibujo para los mangos de los accesorios móviles, e introducirlos desde la parte delantera del dibujo a la trasera.

4 Asegurar los mangos con papel, pegar solo los extremos para evitar que los accesorios móviles se deslicen del cuadro.

5 Para añadir un objeto circular, dibujar y cortar un círculo completo con un mango largo, y colorear como se quiera. Cortar una sección del fondo principal con un cúter, asegurándose de que es menor que un semicírculo y que no interferirá con el punto central de la figura circular una vez montado.

6 Decidir en qué sentido se moverá la figura circular. Marcar luego la parte trasera del dibujo principal a fin de permitirte cortar una ranura para el mango, y hacerla un poco más ancha que el mango.

7 Empujar una chincheta a través de la parte delantera del dibujo principal y la figura circular. Asegurar con un cierre de pendiente.

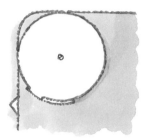

8 Para dibujar un barco, pintar o dibujar un paisaje marino en un cartón.

9 Dibujar y pintar un barco de unos 8 cm de ancho con un mango largo. Este debería colgar unos 2 cm por debajo del extremo inferior del dibujo acabado. Dibujar y colorear un pez. Cortar el barco y el pez.

10 Cortar con el cúter dos ranuras en el paisaje marino para el mango del barco. La primera tiene que ser lo bastante alta para que el barco pueda surcar las olas, de hasta 8 cm de ancho y en forma de ola. Cortar la segunda ranura 5 cm debajo de la primera y centrada respecto a esta. Debería ser un poco más ancha que el mango.

11 Ensartar el mango desde la parte delantera del dibujo hasta la trasera por la ranura superior y sacarla desde la trasera hasta la delantera a través de la segunda ranura.

12 Ahora pegar el pez a la parte visible del mango, aproximadamente 2 cm por debajo de la ranura inferior. Desplazar el mango de lado a lado para mover el barco.

Tren de madera

Hacer cosas con tu hijo siempre es muy divertido, y crear este sencillo trenecito no será una excepción. Desde el principio puedes involucrarlo en el proceso creativo llevándolo a la naturaleza para encontrar la rama adecuada para el tren y otra más pequeña para la chimenea. Ir a la caza de materiales es una actividad fantástica que podéis realizar juntos.

TRABAJAR JUNTOS

Comprueba si la rama del tren es del tamaño adecuado rodeándola con la mano: si los dedos se encuentran, es perfecta. También tiene que ser recta, así que hazla rodar por el suelo para ver si tiene bultos. ¿La madera es lo bastante fuerte, o algunas criaturitas la han estado royendo? ¿La corteza es suave, o rugosa? ¿Se pelará, o parece brillante como para permanecer allí para siempre? Al hacerte estas preguntas, adquirirás una nueva percepción y espíritu de descubrimiento que pronto trasmitirás a tu hijo. La naturaleza es una profesora maravillosa si abrimos los ojos a ella.

Tu hijo te puede ayudar en todas las etapas de construcción de este tren, ya que son muy sencillas.

Recomendaciones

- Asegurarse de que la madera está seca y bien curada, o se romperá al cortarla (véase página 51)
- Adaptar las mismas instrucciones para hacer un remolque más largo de cuatro ruedas.
- Si se utilizan muñecos hechos con pinzas (véase página 61) como pasajeros, hacerlos más cortos para que encajen en el remolque.
- Asegurarse de que las ramas son suaves y redondas. Se puede dejar la corteza si es regular y suave.

Deja que observe cómo sierras la rama con ritmo, luego permítele sujetar la sierra poniendo tus manos encima de las suyas al tiempo que mantienes el ritmo. Se puede adaptar esta canción a cualquier melodía muy sencilla:

Sierra que te sierra, sierra todo el día.
Sierra que te sierra, cantando con alegría.

Puedes cambiar la letra para que encaje con la actividad, ya se trata de hacer agujeros, lijar o pulir. Tu hijo se adentrará en el ritmo de la canción y de la actividad en sí, al seguir el ritmo de la canción.

HORA DE JUGAR

A todos los niños pequeños les encantan los trenes. El hecho de observar un tren de vapor de verdad, de ver al maquinista con su bandera y el humo que sale de la chimenea, oyendo el sonido del pitido y el resoplido rítmico del motor, es un placer sensorial para ellos y anima realmente su juego. Crear caminos y puentes hechos con bloques y tablas (véase página 51), y hacer que los caminos atraviesen campos hechos con telas y una montaña hecha de cojines, ayudará al potencial del escenario. Cuando se quede con algunos amiguitos, tu hijo empezará a explorar no solo las posibilidades de este juego, sino también las de la interacción con sus iguales.

«*El juego es el camino hacia la felicidad
infantil y la genialidad adulta.*»

Joseph Chilton Pearce

Hacer un tren de madera

Haz los vagones que quieras, ya sea para llevar pasajeros o de carga.
Por ejemplo, podrías hacer un vagón largo para transportar ramitas rectas
que hayas recogido. Córtalas del tamaño adecuado y átalas con cuidado
al vagón de madera.

Cómo hacerlo

Necesitarás

Rama recta, bien seca,
    de 4 cm de diámetro

Rama recta, bien seca,
    de 1 cm de diámetro

Sierra

Pegamento

Brocas

Lápiz

Espigas de 5 mm

Arandelas

Papel de lija

Aceite de linaza hervido o
    aceite de oliva y trapos

Destornillador

Tornillos de gancho
    y cáncamos

1 Primero cortar todas las piezas. Serrar un trozo de madera de 7 cm de la rama con diámetro más largo para la locomotora. Recortar el borde frontal en forma de ligera diagonal. Cortar una pieza de madera de 5 cm de la misma rama y serrarla por la mitad, a lo largo, para crear la timonera y el cuerpo del vagón. Cortar ruedas de la rama más grande, cada una de 5 mm de grueso. Necesitarás cuatro para la locomotora y dos más para cada vagón que hagas.

2 Pegar el borde plano de una mitad, de pie, a la parte trasera de la locomotora.

3 Cortar un trozo de 2 cm de largo de la rama con diámetro más pequeño para la chimenea. Hacer un agujero encima de la locomotora, de unos 5 mm de diámetro, como la chimenea. Pegar la chimenea en su sitio.

4 Si se quiere hacer un asiento para un pasajero, como el niño de pinza de la página 61, utilizar un lápiz para marcar la circunferencia del agujero, y luego perforar.

5 Hacer dos agujeros en la locomotora para las espigas que sujetarán los dos pares de ruedas, aproximadamente un tercio más arriba del borde inferior de la rama. Medir el espacio para que los dos juegos de ruedas encajen en la parte frontal del tren sin que se toquen entre sí. Hacer lo mismo para el par de ruedas de cada vagón. Asegurarse de que la broca mida como mínimo 2 mm más que el diámetro de tu espiga.

6 Hacer en el centro de cada rueda un agujero del mismo diámetro que la espiga. Tiene que encajar con firmeza.

7 Cortar para la locomotora dos trozos de espiga que midan aproximadamente 5 cm, y un trozo adicional para cada vagón. Comprobar que sean lo bastante largos para atravesar el tren y las dos ruedas y arandelas.

8 Lijar todas las piezas de madera. Pegar una rueda a una espiga, añadir una arandela, pasar la espiga a través del tren, añadir otra arandela y encajar la segunda rueda, comprobando si gira con facilidad antes de pegarla en su sitio. Repetirlo para los otros pares de ruedas.

9 Untar las piezas de madera con aceite de linaza hervido, frotando para eliminar los excesos con un trapo, antes de colocar un gancho y un cáncamo para unir la locomotora al vagón o vagones.

Hallazgo

Hallazgo

Las diferentes culturas valoran de muy distinta manera el juego. La ética laboral occidental ha tendido a menospreciar su valor, por lo menos en apariencia, a pesar de que, de hecho, la industria del «juego» adulto —el deporte y el ocio— ocupa más recursos y tiempo que nunca. El fútbol y los juegos olímpicos atraen el interés internacional. Estas actividades, así como el ver juegos, tocar música y leer novelas, son juegos, en un sentido cultural.

Conocimiento alegre

En algunas culturas los juegos adultos no se consideran actividades puramente recreativas. Los juegos del pueblo kalapalo de la selva amazónica, por ejemplo, tienen un significado mitológico y cosmológico subyacente. Su contenido refleja de forma ritual la vida social, la tradición oral y las aptitudes físicas necesarias para la supervivencia, y fomentan el desarrollo cognitivo y cultural de cada individuo. Los juegos se utilizan para revelar propósitos y explicar al mundo el encuentro kalapalo. Es lo que el antropólogo Pierre Clastres llamaba *gai savoir* («conocimiento alegre»). Los niños también son propensos a aprender de este modo, como escribió Walt Whitman en este poema:

> *Había un niño que avanzaba cada día*
> *y el primer objeto que miraba, en aquel objeto se convertía,*
> *y ese objeto se convirtió en parte de él durante el día o*
> *una parte determinada del día*
> *o durante muchos años o ciclos de años en extensión.*

Los adultos utilizan los juegos para hacer nuevos descubrimientos más allá de lo cotidiano; los niños, para descubrir lo cotidiano. En el segundo y tercer año, cuando ya han desarrollado una base de pensamiento y el 75 por ciento de su cerebro, el niño empieza a ampliar su capacidad de pensamiento sobre el mundo. Se adentra en la edad del hallazgo. Como escribió Steiner en *The World of the Sense and the World of the Spirit*: «Es absolutamente imprescindible que, antes de empezar a pensar, antes de que empecemos a poner en movimiento nuestro pensamiento, experimentemos la condición de la sorpresa». Emprendemos viajes hacia un territorio nuevo, emocionante y desconocido al haber ejercitado y fortalecido nuestros sentidos, y el asombro aún nos acompaña en nuestros viajes. En cierto modo todo es un sueño, y por eso, de adultos, olvidamos esas experiencias tempranas tan rápido. Sin embargo, a medida que nuestro «yo» empieza a definirse, somos más capaces de retener nuestros recuerdos y podemos empezar a crear mapas mentales que nos guíen. Por eso al período de los tres años en adelante se le llama «la edad de la fantasía».

Riesgo percibido

El descubrimiento y la creatividad implican riesgo. Cuando vamos más allá de nuestros límites habituales, no existen pautas sobre lo que podríamos encontrarnos. En las prósperas sociedades occidentales estamos desarrollando una aversión al hecho de que los niños se arriesguen, y esos miedos adultos pueden limitar gravemente los

Desorden de déficit de naturaleza

A menudo los niños pequeños se ven llevados de casa a la guardería y de nuevo a casa, con un horario «útil» de actividades guiadas y adquisición de habilidades insertas en una rutina ya de por sí ajetreada. Con el estilo de vida metropolitano que se practica cada vez más en todo el mundo, se está volviendo más difícil encontrar espacios de juego para los niños que incluyan un hábitat natural y vegetación. El término «desorden de déficit de naturaleza» se ha acuñado para explicar que los niños están siendo alejados de la experiencia directa de la naturaleza, en detrimento del niño, por desgracia.

Los niños necesitan disponer de tiempo y espacio para respirar por dentro. A los niños les encanta el mundo natural, donde hacen algunos de sus descubrimientos más profundamente impresionantes. Esto se vuelve cada vez más importante a medida que el niño crece. Las cualidades espirituales de la naturaleza, apelan directamente al alma de un niño. A los padres no siempre les resulta fácil corregir la falta de naturaleza y proporcionar esos espacios accesibles se convierte más bien en responsabilidad de la comunidad. Resulta interesante comprobar que en los Países Bajos existen pruebas claras de que la tasa de criminalidad desciende en las comunidades que ofrecen mejores espacios de juego a sus niños. Es un caso de solidaridad parental al definir políticas vecinales nuevas y agradables para los niños. En Suecia también se ha descubierto que las comunidades que colaboran en mejorar las instalaciones para niños sienten que han mejorado el estilo de vida de todo el mundo.

Por lo tanto, cumplir el deseo de un niño de descubrir la naturaleza es una manera de encontrar la cohesión social. En casa puedes introducir las observaciones de la naturaleza en los juegos y recordarle a tu hijo lo que ha visto, sentido y experimentado. El pájaro en el arbusto o un conejo en el campo pueden convertirse en el animal de juguete que tiene en la mano. El respeto que muestra es un eco del respeto y amor por el mundo natural en general.

movimientos de un niño y la posibilidad de realizar sus propios descubrimientos. A diferencia de la impresión que a menudo dan los medios, el mundo no es más, sino más bien menos, peligroso que antes. No obstante, los niños de hoy en día tienen menos oportunidades de jugar juntos, y algunos colegios están reduciendo, incluso prohibiendo, el tiempo de juego debido a los riesgos percibidos. Las consecuencias para el niño son la falta de ejercicio, menos confianza en la capacidad física, un aumento de la ansiedad, abandono de la iniciativa y escasez de oportunidades de descubrir por sí mismo.

El derecho del niño a la libertad de descubrir y el instinto protector de los padres no son buenos aliados. Como padres, debemos luchar por encontrar un equilibrio sano. Jugar con tu hijo puede darte confianza en sus capacidades, lo que puede animarte a darle la libertad de experimentar las alegrías de la infancia en su plenitud. A esta edad, si se le dan oportunidades para autoformarse, un niño puede aprender mucho más que mediante programas educativos impuestos desde fuera. Debería continuar experimentando el mundo en global. Ya tendrá tiempo suficiente para descomponerlo y diseccionarlo más tarde, en la educación primaria, secundaria y superior.

Descubrimiento para todos

En 1932, tras años de observación detallada y cariñosa, Susan Isaacs, la gran pionera inglesa de los primeros años, definió tres modos de juego en la primera infancia: amor por el movimiento y el perfeccionamiento de las habilidades corporales; interés en cosas y hechos reales (el descubrimiento del mundo exterior), y el placer de fingir (la expresión del mundo interior). Los tres se correlacionan con la visión tripartita de Steiner del ser humano como voluntad (acto), pensamiento y sentimiento. Pese a que ninguna actividad lúdica opera exclusivamente en ninguno de estos ámbitos, todos juegan un papel más o menos importante en lo que el niño está haciendo. Cuando juegue con las cintas al viento de la página 106, por ejemplo, a tu hijo le encantará descubrir que el viento sopla entre las cintas al mismo tiempo que él ejercita su cuerpo corriendo. Jugar con los barcos de la página 110 en el agua lo sumergirá en el mundo natural, y al mismo tiempo ejercitará el cuerpo y la mente al representar su cuento preferido. Como adultos, podemos observar qué capacidad queda en primer plano y ayudar al niño a integrar las tres para finalmente equilibrarlas por sí mismo, ya que cada vez lo necesitará más a medida que crezca.

Este libro pone énfasis en la relevancia de las ideas de Steiner, y las de muchos otros, sobre los beneficios del juego para los niños. Steiner fue capaz de expresar profundas ideas espirituales en un lenguaje inspirador, así como conceptos que se pueden seguir ampliando y desarrollando para que encajen con las cuestiones de nuestros días.

El juego con tu hijo es la unión de tu determinación y la naturaleza del niño. Tanto tu hijo como tú podéis contribuir a este encuentro y, al hacerlo, combinar la determinación espiritual del niño con lo que existe, pese a que con frecuencia permanezca oculto, en tu propia naturaleza. Es el reino del descubrimiento para todos. Los hallazgos no se obtienen solo con nuevas ideas, sino también con una nueva mirada. Los ojos abiertos de par en par de un niño asombrado pueden ser tus ojos interiores del descubrimiento al estar en sintonía con él.

Puede parecer que una parte de este enfoque filosófico está muy alejada de los juegos sencillos

y creativos con tu hijo. Sin embargo, al permitir que semejantes ideas vivan en tu interior, encontrarás otro nivel en el que relacionarte con tu hijo, y dicho nivel te animará y enriquecerá cuando los problemas y responsabilidades de la paternidad parezcan agotadores o abrumadores. No existe el padre perfecto, por muy altruistas y devotos que nos consideremos. Es la interacción entre padre e hijo, así como entre niños, la que da resultados. Al concentrarnos en las relaciones, trabajamos de forma espiritual. Permitimos que cada niño participe en la relación, algo que es perfectamente capaz de hacer, y lo fomentamos reconociendo sus competencias en este ámbito. Como escribió Steiner: «Todo lo que hace disfrutar al niño debe vivir y ser como si formara parte de su propia naturaleza».

Trabajando con reconocimiento y amor, desarrollamos de forma creativa la conexión emocional entre los seres humanos. Al jugar con tu hijo y dejar que el juego lo dirija el niño, puedes llenarlo con lo que el niño necesita de ti. Tú tampoco estás solo. Un niño puede introducirnos en reinos que están más allá de nuestra naturaleza normal, y ayudarnos a ser mejores padres, además de mejores personas.

Paracaidistas

Los niños llegan a conocer los cuatro elementos ancestrales —tierra, aire, agua y fuego— mediante el juego, al descubrir los placeres de la naturaleza. Muchos de los juguetes de este capítulo están relacionados con los elementos, y, al jugar con ellos, tu hijo empezará a descubrir no solo el mundo que le rodea, sino también lo que les ocurre a sus juguetes cuando se ven afectados por uno de los elementos y la gran influencia que estos tienen en su vida diaria.

EN SINTONÍA CON LA NATURALEZA

A los niños les encanta chapotear en todo tipo de agua, ya se trate de un charco o del mar. Hurgarán en la tierra, arena, piedras y arcilla, y jugarán con el barro cuando la tierra y el agua se mezclen. Los niños disfrutan sentados junto a un fuego en la chimenea u observando cómo tiembla la llama de una vela, y les fascina el viento, les llama la atención cualquier cosa que flote en el aire: el polvo que baila en un rayo de sol, una mariposa que revolotea encima de una flor, una pluma atrapada por la brisa o las distintas formas, tamaños y colores de las nubes que se mueven en el cielo. Puedes jugar con el elemento del aire mirando cómo caen las semillas de los sicomoros, dibujando una espiral hacia abajo para finalmente reposar erguidas en la tierra, o cómo salen volando de los dientes de león y otras flores.

Todo lo que hagas al aire libre en la naturaleza y que requiera que tu hijo se mueva es sano para él, no solo para su crecimiento físico, sino también para desarrollar un buen sentido del equilibrio y confianza en lo que puede hacer su cuerpo.

JUEGO DEL PARACAÍDAS

La idea del vuelo divierte a los niños pequeños, y a tu hijo le encantará ver paracaidistas que descienden con suavidad hacia la tierra, para después recogerlos y volverlos a lanzar. No tendrá la fuerza ni la destreza suficiente para lanzar a su paracaidista lo bastante alto, pero puedes ayudarle tú. Llévate algunos al parque o al jardín y lánzaselos al aire. Flotarán directamente hacia abajo, o serán transportados por el viento para que tu hijo los persiga antes de aterrizar. Cuando sea mayor, puede lanzar los juguetes desde un árbol al que haya subido o lanzarlos desde un puente.

Experimenta con diversos tamaños de paracaídas y haz colgar juguetes de distinto tamaño de cuerdas cortas o largas. Puedes hacer paracaídas cuando estés en un parque o un bosque, utilizando lo que encuentres a tu alrededor. Tu pañuelo, atado con una cuerda del bolsillo, con una pluma, hoja o ramita que cuelgue, puede ser un paracaídas fantástico. Las posibilidades son infinitas.

Recomendaciones

- Para un paracaídas, se puede utilizar una bufanda de seda vieja, un pañuelo o cualquier tela de algodón ligera.
- Si usas algodón, pinta o dibuja en él para personalizárselo a tu hija.
- Cuanto más ligera sea la persona y más cortas las cuerdas de lana, mejor flotará el paracaídas.

Hacer un paracaidista

Para lanzar el paracaídas, sujetarlo por el centro de la cubierta de seda y dejarlo caer desde un punto alto. Como alternativa, apretar el juguete en la mano y lanzarlo hacia arriba. Siempre bajará flotando.

Cómo hacerlo

Necesitarás

Cuadrado de algodón de 20 cm o una tela ligera que se parezca

Aguja de coser

Hilo de coser

Lana cardada sin tejer*

Cuadrado de seda de 20 cm o pañuelo de algodón fino

Hilo de algodón fuerte

Tijeras afiladas

* Cardar la lana de oveja sin tejer antes de usarla, estirando con suavidad para separar las fibras densas. Un «cardador» manual parecido a un peine acelera el proceso.

1 Para hacer el paracaidista, doblar el cuadrado de algodón por la mitad y hacer las costuras laterales.

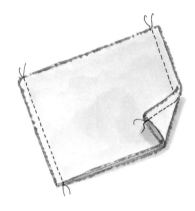

2 Darle la vuelta a la tela de algodón y dejar un trozo atado lleno de lana de oveja sin tejer para la cabeza, tal como se muestra en la ilustración. Atar fuertemente con hilo para asegurar la cabeza.

3 Rellenar un poco las esquinas para hacer los brazos y las piernas, y la zona del medio para hacer el cuerpo. Coser la costura de abajo y unir la tela para dar forma a las piernas, y sujetar con algunas puntadas.

4 Dar forma a los brazos adentrándolos hacia la cintura, y asegurarlos con algunos puntos. Hacer las manos y los pies atando el extremo de cada brazo y pierna.

5 Para hacer el paracaídas, enrollar los bordes del cuadrado de seda y hacer el dobladillo. No hace falta que hagas los dobladillos de los bordes si utilizas un pañuelo de algodón fino. Cortar en trozos el hilo de algodón fuerte para crear cuatro cuerdas iguales, cada una 6 cm más larga que el cuadrado.

6 Atar una cuerda a cada esquina del cuadrado de seda, comprobar que los nudos están seguros, y recortar los extremos de las cuerdas. Doblar el cuadrado por la mitad para comprobar que todas las cuerdas tienen la mima longitud.

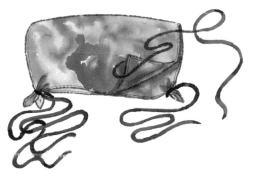

7 Adjuntar el paracaídas al muñeco atando dos cuerdas a cada brazo. Comprobar que los nudos estén seguros y cortar.

Cintas al viento

Como ocurre con muchas actividades que implican los cuatro elementos —aire, fuego, aire y agua—, el contacto con la naturaleza revive todos nuestros sentidos. Sentimos el viento en la piel como una suave caricia, escuchamos los distintos sonidos que provoca el susurro de las hojas en los árboles, vemos nubes que se desplazan por el cielo y olemos la lluvia sobre la tierra tras una tormenta.

DESPERTAR LOS SENTIDOS

Una brisa repentina afecta a nuestra sensación térmica, tal como la sensación de movimiento y equilibrio se ven influidas cuando sopla un viento fuerte. El mero contacto con la naturaleza puede avivar nuestra vitalidad.

Rudolf Steiner decía que el mundo entra a través de los sentidos para nutrir el espíritu, y el espíritu sale para transformar, crear el mundo de nuevo. Por eso es importante darle a un niño pequeño un entorno y experiencias que nutran todos los sentidos. La naturaleza es un buen entorno, y cuanto más tiempo se pase en ella, mejor. Las cintas al viento son unos juguetes estupendos para el aire libre: ofrecen una manera sencilla de disfrutar del acto de volar y son las precursoras del vuelo de la cometa, más complicada que aquellas.

Puedes atar diferentes longitudes o tipos de cintas para añadir variedad a la experiencia. Por ejemplo, las cintas de papel de crep emiten un sonido fantástico, crujen y susurran al rozar unas con otras. Sin embargo, las cintas de satén se mueven con elegancia y fluidez, y los colores claros lucen fantásticos cuando vuelan juntos al viento.

Este juguete se hace para que tu hijo pueda sujetarlo o agitarlo con facilidad o, con grandes movimientos, hacerlo girar en el aire. Tu hijo y tú podéis bajar corriendo una colina, cada uno con una cinta al viento. Cuanto más tiempo pases al aire libre jugando con este tipo de juguetes con tu hijo pequeño, más se fortalecerán sus extremidades y avivarán sus sentidos.

Recomendaciones

- Comprobar que sujetas bien las cintas a la varilla circular.
- Optar por hacer todas las cintas del mismo color, escoger colores que encajen bien o combinar una serie de patrones distintos.
- Se puede usar papel de crep de colores en vez de cintas, pero comprobar que el crep no se moja.

«*Los niños no pueden adquirir destrezas para manejar los elementos lo bastante pronto… y por eso deben experimentarlo de primera mano.*»

Irmgard Kutsch y Brigitte Walden, *Nature Activities for Children*

Hacer una varilla de cintas al viento

Estas varillas de cintas al viento ofrecen una actividad aérea que no requiere ninguna habilidad y de la que pueden disfrutar niños de todas las edades.

Cómo hacerlo

1 Retorcer la caña hasta darle la forma de un anillo del tamaño de la mano, entrelazándolo hacia dentro y hacia fuera una o dos veces para mantener la forma. Asegurar los extremos con hilo fuerte.

2 Hacer el dobladillo a lo que será el extremo suelto de cada cinta para evitar que se deshilache (o cortar los extremos en un ángulo).

3 Coser cada cinta a la caña, y dejar un espacio regular entre ellas. Darle la vuelta a cada extremo de la cinta antes de coserlo a la caña para evitar que se deshilache.

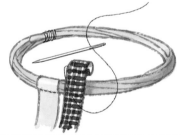

Balsas y barcos

El agua es especialmente atractiva para tu hijo pequeño. Pasó nueve meses flotando en líquido antes del nacimiento, y parece natural que disfrute estando en ella más tarde. En el baño, le encanta chapotear y, cuando ya puede sentarse, jugar con cualquier cosa que flote. A los niños les atraen los charcos, y chapotean contentos en ellos cuando llueve, sin importarles estar mojados o cubiertos de barro.

JUGAR CON AGUA

Todos los niños deberían poder experimentar el aire libre en todas las situaciones meteorológicas, incluidas la lluvia y la nieve. No debería haber motivo para evitar los días más fríos, ya que un niño pequeño aún no es lo bastante consciente de su propio cuerpo para notar sensaciones como el calor y el frío, el estar seco o mojado. Un viejo dicho reza: «No existe el mal tiempo, sino la mala ropa». Viste a tu hijo para la ocasión, con un sombrero para evitar el sol en verano y como protección del frío en invierno, y un mono impermeable y botas cuando llueva. Conviene poner capas de ropa cuando hace más frío, así siempre podrás quitar una. Tu hijo necesita por lo menos una capa más que tú.

Si va vestido de forma adecuada, un niño puede jugar durante horas junto a un río, un arroyo o en la orilla del mar, conteniendo el agua o redirigiéndola para que fluya en otras direcciones. Procura estar siempre cerca de los niños pequeños cuando están jugando con agua, porque necesitan una supervisión constante, aunque no haya profundidad.

Recomendaciones

- Se puede usar caña de jardín en vez de palos.
- Hacer una banderita para colocarla en el extremo de cada mástil.
- Pintar las velas o pegar imágenes.

Jugar con balsas y barcos, por muy sencillos que sean, es una manera de descubrir que la fuerza del agua puede mover un objeto. Existe un juego fantástico que consiste en lanzar distintos tamaños de palos desde un lado de un puente y correr al otro lado para ver cuál es el más rápido. Asimismo, tu hijo disfrutará viendo cómo la corriente se lleva una balsa, dirigiéndola de remolino en remolino o haciendo que baje un rápido. Le encantará ver que un barco sale de una charca donde podría haberse estancado, o bien hacerlo flotar en un estanque de jardín o incluso en la bañera.

TU PROPIO ESTANQUE

Es muy fácil crear tu pequeño estanque para hacer flotar balsas y barcos al aire libre. Escoge una palangana baja y cubre la base de gravilla y piedras y conchas bonitas que hayas recogido con tu hijo antes de llenarla de agua. Para añadirle interés, pon un jarrón de flores o ramas en una de las esquinas. Deja que tu hijo observe mientras guías las balsas y barcos de un lado a otro soplando hacia las velas. Descubrirá que el poder del soplido, el aire, puede mover y dirigir un barco, y es una manera fantástica de que él practique la acción de soplar. Puede que un niño mayor pregunte por qué los barcos no se hunden, pero el más pequeño simplemente disfruta del proceso sin cuestionarlo. Si quieres jugar con las balsas y barcos dentro de casa, como parte de un juego de suelo, puedes usar una tela azul para hacer de mar o estanque.

Hacer balsas y barcos

Busca diferentes tipos de madera para hacer estas balsas y barcos.
A tu hijo le resultará interesante percibir de primera mano las distintas
características de cada uno.

Cómo hacerlo

Necesitarás

Palos rectos secos de
   un diámetro de 1 cm

Sierra

Papel de lija

Cuerda de jardín fina

Tijeras afiladas

2 palos de caramelo

Pegamento

Brocas

Cartón fino

Palo recto y seco un poco
   más fino

Trozo de corteza

1 Para hacer una balsa, cortar una serie de trozos de 8 cm de palos secos. Se necesita la cantidad suficiente para formar aproximadamente un cuadrado de 8 cm al ponerlos uno junto a otro. Lijar los palos para eliminar bultos.

2 Colocar los palos uno junto a otro. Cortar dos trozos de cuerda de jardín y atar una alrededor de un extremo del primer palo. Enrollar la cuerda por debajo y alrededor del extremo de cada palo para asegurar ese lado de la balsa. Hacer un nudo en el último palo. Atar el otro extremo de la cuerda al extremo opuesto del primer palo, y enrollar y atar el otro lado de la balsa de la misma manera.

3 Cortar los palos de caramelo en trozos de aproximadamente 8 cm y pegarlos en su sitio encima de la cuerda.

4 Cuando el pegamento se haya solidificado, hacer un agujero en el palo del centro para encajar el mástil. Cortar una vela de 8 × 8 cm de cartón fino, y pinchar o cortar agujeros en medio del extremo superior e inferior.

5 Para el mástil, cortar un trozo de 8 cm del palo más fino e insertarlo en los dos agujeros de la vela antes de pegarlo al agujero de la balsa.

6 Para hacer un barco de corteza, cortar una forma de barco de un trozo de corteza. Cortar un trozo del palo más fino seco, más o menos de la misma longitud que el barco.

7 Hacer un agujero en el casco de corteza para el mástil. Utilizar una broca un poco más fina que este y no agujerear del todo.

8 Cortar una vela de cartón fino que encaje en el mástil y pegarla en su sitio, dejando espacio por debajo de la vela.

9 Pegar el mástil al agujero.

Pelotas de fieltro

Una pelota es uno de los primeros juguetes en movimiento que se les da a los bebés más activos. Observamos la felicidad de nuestros bebés cuando descubren cómo, al dar un empujoncito a una pelota, esta se mueve por sí sola. Hacemos rodar pelotas hacia atrás y adelante en dirección a nuestros bebés y niños pequeños…, un juego de placer infinito.

JUGAR A LA PELOTA

Permite que tu hijo juegue con objetos, interactúe con otras personas y desarrolle habilidades físicas. Los juegos de pelota permiten ahondar en todos estos aspectos. Puede resultar una actividad muy social, ya que jugar a la pelota con otros es un modo de interacción no amenazador, sobre todo durante el primer contacto con otros niños. Cuando son muy pequeños, no pueden lanzar ni atrapar pelotas a mucha distancia, aunque van desarrollando la destreza a medida que crecen y aumentan el control físico. También puedes dejar solo a tu hijo para que vea de lo que es capaz una pelota, rebotándola contra una pared o haciéndola rodar hacia un balde. Hagan lo que hagan los niños con una pelota, desarrollarán una serie de habilidades físicas y descubrirán lo que le ocurre a un objeto redondo en distintas situaciones.

Estás pelotas blandas son perfectas para jugar al aire libre y en espacios interiores. No obstante, depende de ti establecer las normas desde el principio. Puedes decir: «No damos patadas a la pelota ni la lanzamos a lo alto dentro de casa». (¡Pero asegúrate de que tú respetas las normas!) Enséñale a tu hijo que os podéis pasar la pelota entre vosotros con suavidad o hacerla rodar de un lado a otro. Siéntate en el suelo con tu hijo, los dos con las piernas separadas para atrapar la pelota. Puedes usar tablas de madera para hacer rodar una pelota de arriba abajo o por un puente con la tabla apoyada en dos sillas o bloques. Es uno de los juegos favoritos sobre todo para los niños un poco mayores.

Estas pelotas tienen un diseño sencillo y son muy fáciles de hacer. Para un niño un poco mayor, las pelotas también serán una oportunidad de reconocer los colores y contar los distintos segmentos.

HORA DE JUGAR

El juego siguiente se puede disfrutar con diferentes cantidades de participantes. Sentaos en el suelo con las piernas estiradas y los pies tocándose para formar un círculo (o sentaos uno frente a otro si solo sois dos). Haced rodar la pelota de una persona a la siguiente mientras cantáis una canción rítmica. Podéis inventar cualquier melodía para acompañar la letra siguiente:

Recomendaciones

- Por lo general, el ancho de una pelota es un tercio de la longitud de cada segmento, con unos 2 mm más para la costura.
- Utilizar fieltro de un color distinto para cada segmento, o solo dos colores para los segmentos alternos.
- Utilizar hilo de bordar que contraste.
- Coser una campanilla dentro de la pelota antes de rellenarla.
- Para los niños más pequeños, coser un hilo a un extremo de la pelota y atarlo a la cuna para hacerlo rebotar.
- Añadir cintas o bordados con dibujos o el nombre de tu hijo.

Rueda que te rueda la pelota.
Ahora está aquí, ahora allá.
Dímelo ya, un, dos, tres,
Dónde el arcoíris está.

Observa quién ha atrapado la pelota con las piernas cuando termine la canción. Así, el niño pequeño aprende a hacer rodar la pelota y, cuando haya adquirido la habilidad, a dirigirla hacia la persona escogida.

Hacer una pelota de fieltro

En vez de ribetear o usar punto de festón, puedes usar el pespunte para obtener un mejor acabado, cosiendo las secciones, con el lado del revés hacia fuera y luego dándole la vuelta a la pelota para rellenarla.

Cómo hacerlo

Necesitarás

Papel de calcar

Lápiz

Fieltro grueso de diferentes colores

Alfileres

Tijeras de costura

Aguja de bordar

Hilo de bordar de distintos colores

Lana de oveja cardada y sin tejer*

Alfileres

* Cardar la lana de oveja sin tejer antes de usarla, estirando con suavidad para separar las fibras densas. Un «cardador» manual parecido a un peine acelera el proceso.

1 Para hacer una plantilla para una pelota de cuatro segmentos, doblar un trozo de papel y marcar un tramo de 11 cm a lo largo del pliegue. Ahora volver a doblar a lo ancho y marcar un tramo de 6 cm de ancho. Dibujar de marca a marca para crear el esbozo que se muestra a continuación. Para una pelota de siete segmentos, medir 12 cm × 4,5 cm o, para una versión más pequeña, 9 cm × 3 cm. Las siguientes ilustraciones están dibujadas a escala y se pueden aumentar con una fotocopiadora (es mejor hacerlas por lo menos tan grandes como las medidas indicadas con anterioridad). Cortar la plantilla y recorta unos milímetros de cada punta, tal como se indica. Sujetar con alfileres la plantilla al fieltro y cortar la cantidad de secciones necesaria.

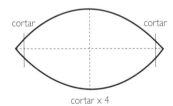

cortar

cortar

cortar x 4

cortar x 7

cortar

cortar

2 Para hacer bordes circulares, cortar dos círculos de fieltro en colores que contrasten, de unos 2-4 cm de diámetro, según el tamaño de la pelota. Cada uno de los bordes cuadrados debería medir unos 2,5-3,5 cm.

3 Ribetear o usar punto de festón (véanse páginas 28 y 39) para coser las secciones en longitudinal, con hilo de bordar de un color que contraste. Dejar una pequeña abertura en la última sección para rellenar.

4 Rellenar la pelota con lana de oveja sin cardar, y comprobar que la forma sea firme y redonda.

5 Sujetar con alfileres los bordes, coserlos en su sitio y retirar los alfileres. Si necesitas ajustar el tamaño de la pelota, dar algunas puntadas alrededor de las aberturas superior e inferior y estirar con fuerza antes de coser los extremos.

Muñecos que dan volteretas

Observa cómo estos gordinflones caen por una pendiente con la cabeza por encima de los pies. ¿Irán en línea recta? ¿Uno caerá más rápido que el otro? Es perfecto para que tu hijo se oriente en el espacio y desarrolle el sentido del equilibrio.

Es un buen juguete si tu hijo está enfermo en la cama o encerrado en casa un día lluvioso. También es lo bastante pequeño para llevarlo en el bolsillo en una salida y sacarlo para jugar cuando tu pequeño necesite estar ocupado durante un momento. También puedes usarlo para realizar una actividad más sofisticada y construir superficies complicadas con el objeto de que los muñecos se deslicen. Cuando hayas puesto en práctica algunas de estas ideas, puedes dejar que tu hijo juegue, solo o con

Recomendaciones

- Intentar hacer muñecos masculinos y femeninos, incluso hombrecillos con barba.
- Para ondular el cartón, estirar un trozo en el borde de una mesa; luego enrollarlo según el tamaño deseado y sujetarlo con cinta adhesiva.
- Usar pegamento fuerte.
- La mejor superficie para caer no es una suave: usar una tabla cubierta de tela, una manta o un cojín.

más niños, haciendo carreras con los hombrecillos en cojines o una rampa.

DESARROLLAR HABILIDADES GRACIAS AL JUEGO

Los juguetes activos como este requieren cierto control por parte de tu hijo, ya que tendrá que poner en equilibrio el muñeco y erguirlo en lo alto de la pendiente antes de soltarlo. Si haces varios muñecos de distintos tamaños, tu hijo descubrirá que los más grandes tardan más en llegar al final. Si el cojín no está recto, verá que ruedan hacia un lado, e incluso fuera del borde.

Puedes darle otra dimensión al juego haciendo muñecos de distintos colores. Tu hijo puede usarlos como coloridos payasos de circo durante un juego en el suelo, o jugar a las carreras con ellos con otros niños o contigo. Puedes hacer carreras hacia delante o hacia atrás por la rampa, según dónde los coloques. Intenta que la posición inicial sea sobre la cabeza e impúlsalos con un empujoncito en las piernas o, si están sentados, con un empujón en la espalda.

«*La facultad del juego se convierte en origen y fuente de las destrezas y habilidades más importantes que podemos desarrollar en la vida.*»

Martin Rawson, *Free Your Child's True Potential*

Hacer muñecos que dan volteretas

Comprueba que sujetas bien los sombreros de estos muñecos para evitar que se escape la pelota o el mármol. ¡Sería muy tentador para un niño metérselo directamente en la boca!

Cómo hacerlo

Necesitarás

Papel de calcar

Lápiz

Fieltro de distintos colores

Alfileres

Tijeras de costura

Cartón fino

Cinta adhesiva

Pegamento

Aguja de coser

Hilo de coser

Mármol o cojinete de bolas

Lápices de colores

1 Hacer plantillas de papel para la chaqueta, pantalones y manos utilizando una fotocopiadora para aumentar las ilustraciones mostradas a continuación según el tamaño deseado, o dibujando plantillas. Para hacer un muñeco más grande, la plantilla de la chaqueta debería ser de unos 8 × 4 cm, y los pantalones, de unos 7 cm de largo. Una chaqueta más pequeña debería ser de 7 × 2,5 cm, y los pantalones, de 6 cm de largo. Doblar el fieltro por la mitad, sujetar con alfileres las plantillas a lo largo del pliegue tal como se muestra en la ilustración con una línea de puntos, y cortar una pieza de chaqueta, una de pantalones y dos manos para cada muñeco.

2 Para la cabeza, enrollar un trozo de cartón fino en un tubo y sujetar con cinta adhesiva. Para un muñeco más grande, la cabeza debe tener unos 4 cm de profundidad, y 2,5 cm de diámetro. Una pequeña debe tener 3 cm de profundidad y 2 cm de diámetro.

3 Cortar una tira de fieltro de color carne que encaje en el tubo de la cabeza, y dejar un hueco

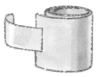

de 5 mm en la parte superior del tubo. Pegar el fieltro en su sitio.

4 Cortar una hendidura de 2 cm en medio del pliegue de la chaqueta e introducir el borde inferior del tubo de la cabeza en ese agujero. Comprobar que la costura de la tira de la cara queda en la parte trasera de la cabeza, y el hueco, en la parte superior del tubo.

5 Pegar la superficie interior de la sección circular de la chaqueta. Colocar los pantalones y dos manos, doblar la sección del cuerpo por la mitad por encima de ellos y presionar para pegarla.

6 Coser el borde pegado de la chaqueta, de una mano a otra, atravesando los dos lados con los puntos, incluidas manos y piernas.

7 Colocar el mármol o cojinete de bolas dentro del tubo de la cabeza. Para el sombrero, cortar un círculo de fieltro 1 cm más ancho que el diámetro del tubo. Pegar en el borde superior externo del tubo, colocar el círculo de fieltro en la parte superior del tubo y presionar los bordes con firmeza para cubrir la apertura.

8 Pegar una tira de fieltro de un color que contraste, aproximadamente de 1 x 8 cm alrededor del sombrero, como cinta del mismo. Así tapará la juntura de la cara y el sombrero, y garantizará que sea lo bastante seguro para mantener el mármol o cojinete de bolas en su sitio. Colocar la costura detrás.

9 Dibujar los rasgos con lápices de colores.

Móvil de mariposas

Este precioso móvil atrae a todo aquel que lo ve, ya sea un bebé, un niño pequeño o un adulto. Encarna el color, el movimiento y el sonido, y provoca distintas impresiones al captar la luz del sol, alegrando un rincón insulso de la cocina o el dormitorio.

Utiliza todos los colores del arco iris para hacer las mariposas, o cambia los colores para reflejar los del cambio de estación: verde y amarillo en verano, y plateado y rojo en invierno. Haz el móvil mientras tu hijo observa. Es tan sencillo de hacer, que él puede unirse, y disfrutará retorciendo el limpiachimeneas para darle forma de cuerpo, cabeza y antenas, o estrujando las alas de papel de seda para que encajen en el cuerpo.

EL ENTORNO DE UN NIÑO
Ahora sabes que el niño pequeño está profundamente conectado con las impresiones que recibe del entorno, ya sean los sonidos puros que oye, la belleza que ve o los materiales naturales que toca. Rudolf Steiner habla de 12 sentidos distintos, muchos de los cuales se han mencionado en este libro. Como, debido a su mentalidad

abierta, al niño lo educan y forman su entorno y todo lo que sucede en él, es de vital importancia que la calidad de sus experiencias sensoriales también se fomente con cuidado. El entorno de un niño pequeño debería ser tranquilo, pacífico y despejado, y eso lo engloba todo, desde la ropa hasta los muebles de su habitación. Lo único que se necesita son algunos adornos sencillos y estéticamente agradables.

CREAR UN RINCÓN DE LA NATURALEZA
Un rincón de la naturaleza es una buena manera de añadir decoración al entorno de un niño. Puede ser una zona reducida —la repisa de la ventana, una mesita o un estante—, dedicada a objetos que representen cada uno de los cuatro elementos. Puede haber un jarrón con ramas o flores, algunas conchas en un cuenco con agua o piedras recogidas de varios colores. Céntrate en objetos que podáis recoger juntos al aire libre. Cubre la superficie con una tela de color y cámbiala para adecuarla a cada estación.

Es importante, como con todo lo demás del entorno de tu hijo, cuidar esta mesa y todos los tesoros que muestra. Las flores necesitarán agua limpia para beber, y tal vez haya que cambiar otros objetos a medida que se vayan deteriorando. Hazlo sencillo; si hay demasiados objetos, los sentidos se sobrecargan.

Cuelga el móvil de mariposas del techo encima del rincón de la naturaleza para que pueda flotar y agitarse con la brisa, o girar empujado con suavidad por la corriente causada por el calor de una vela.

Recomendaciones
- Si se quiere pintar los limpiachimeneas, hacerlo con pintura o lápices de colores.
- Para despertar más interés, colgar las mariposas en diferentes niveles.
- Suspender el móvil cerca de una ventana para que capte la brisa.
- Cuando el papel de seda de colores empiece a apagarse, o el móvil esté polvoriento, sustituirlo por uno nuevo.

Hacer un móvil de mariposas

Si haces una gran cantidad de mariposas, intenta colgarlas lo más rectas posible para evitar que choquen entre sí y se enreden.

Cómo hacerlo

Necesitarás

Caña flexible

Cinta de color

Tijeras afiladas

Papel de seda

Limpiachimeneas

Hilo de coser

1 Decidir el diámetro de tu móvil y enrollar la caña en forma de anillo, entretejiéndola hacia dentro y hacia fuera un par de veces para asegurarla. Meter los extremos.

2 Enrollar un trozo de cinta de color alrededor del anillo para decorarlo.

3 Añadir cuatro cintas del mismo tamaño al anillo de caña, comprobar que están separados a la misma distancia y que cuelgan igual. Atar juntos los extremos sueltos, luego atar otra cinta a las cuatro para poder colgar el móvil centrado de la cinta.

4 Para hacer las mariposas, cortar formas de papel de seda doblado para asegurarse de que son simétricas. Hacer varias capas de papel para cortar varias mariposas a la vez.

5 Escoger colores distintos, poner dos o tres capas de formas de mariposas, una encima de otra. Doblar un limpiachimeneas por la mitad, apretar el papel de seda entre las dos mitades, y estrujar el papel con suavidad para darle forma a las mariposas.

6 Retorcer los bordes del limpiachimeneas para sujetar el papel de seda, y doblar los extremos para formar la cabeza y las antenas.

7 Ahuecar las alas, luego atar un trozo de hilo de coser a cada extremo del limpiachimeneas. Añadir un segundo trozo de hilo al primero, y atarlo para que pueda deslizarse arriba y abajo el primer hilo hasta que la mariposa cuelgue recta.

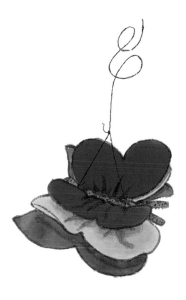

8 Atar las mariposas al anillo de caña, y asegurarse de que están separadas por la misma distancia y que cuelgan a distintas alturas.

Índice

Bibliografía

Aeppli, Willi, y Freilich, Elizabeth, *Care and Development of the Human Senses*, Steiner Schools Fellowship Publications, Forest Row, 1993.

Baldwin, Rahima Dancy, *Usted es el profesor de su hijo*, Medici, Barcelona, 2006.

Bettelheim, Bruno, *Psicoanálisis de los cuentos de hadas*, Crítica, Barcelona, 1995.

Callois, Roger, *Man, Play and Games*, Free Press of Glencoe, Nueva York, 1961.

Clouder, Christopher, y Nicol, Janni, *Creative Play for your Baby: Steiner Waldorf expertise and toy projects for 3 months–2 years*, Gaia, Londres, 2007.

Clouder, Christopher, y Rawson, Martyn, *Educación Waldorf: ideas de Rudolf Steiner en la práctica*, Editorial Rudolf Steiner, Madrid, 2002.

Cohen, David, *The Development of Play*, Routledge, Londres, 1996.

Florida, Richard, y Tinagli, Irene, *Europe in the Creative Age*, Demos, Londres, 2004.

Froebel, Friedrich, *The Pedagogics of the Kindergarten: Ideas concerning the play and playthings of the child*, University Press of the Pacific, Honolulú, 2003.

Gallahue, David L, y Ozmun, John, C., *Understanding Motor Development: Infants, children, adolescents, adults*, McGraw-Hill, Boston, 1998.

Garvey, Catherine, *Play (Developing Child)*, Fontana, Londres, 1991.

Ginsberg, Kenneth R., y Committee on Communications y Committee on Psychosocial Aspects of Child and Family Health, «The Importance of Play in Promoting Healthy Child Development and Maintaining Strong Parent–Child Bonds», *Pediatrics*, vol. 119, n.º 1 (enero de 2007).

Glöckler, Michaela, y Goebel, Wolfgang, *A Guide to Child Health*, Floris Books, Edimburgo, 2003.

Huizinga, Johan, *Homo ludens*, Alianza, Madrid, 1998.

Kutsch, Irmgard, y Walden, Brigitte, *Nature Activities for Children*, Floris Books, Edimburgo, 2007.

Layard, Richard, *Happiness: La nueva felicidad: lecciones de una ciencia nueva*, Taurus, Madrid, 2005.

Liedloff, Jean, *El concepto del continuum: en busca del bienestar perdido*, Ob Stare, Santa Cruz de Tenerife, 2003.

Male, Dot, *The Parent and Child Group Handbook: A Steiner/Waldorf approach*, Hawthorn Press, Stroud, 2005.

Mehler, Jacques and Dupoux, Emmanuel, *What Infants Know: The new cognitive science of early development*, Blackwell, Oxford, 1993.

Montessori, Maria, *La mente absorbente del niño*, Araluce, Barcelona, 1971.

Montessori, Maria, *The Advanced Montessori Method: Her programme for educating elementary school children*, vol. 1, ABC-CLIO, Oxford, 1991.

Moss, Peter, y Penn, Helen, *Transforming Nursery Education*, Paul Chapman Publishing, Londres, 1996.

Neill, A.S., *Summerhill*, Fondo de Cultura Económica de España, Madrid, 1990.

Palmer, Sue, *Toxic Childhood: How the modern world is damaging our children and what we can do about it*, Orion Books, Londres, 2006.

Pearce, Joseph Chilton, *Evolution's End: Claiming the potential of our intelligence*, Harper Collins, San Francisco, 1992.

Pearce, Joseph Chilton, *Magical Child*, Penguin, 1992.

Rawson, Martin, *Free Your Child's True Potential*, Hodder and Stoughton, Londres, 2001.

Rogoff, Barbara, *Aprendices del pensamiento: el desarrollo cognitivo en el contexto social*, Paidós Ibérica, Barcelona, 2002.

Santer, Joan, *et al.*, *Free Play in Early Childhood: A literature review*, National Children's Bureau, Londres, 2007.

Schiller, Friedrich, *Kallias: cartas sobre la educación estética del hombre*, Anthropos, Barcelona, 1990.

Selleck, D., «Being under Three Years of Age: Enhancing quality experiences», en G. Pugh, *Contemporary Issues in the Early Years*, Paul Chapman Publishing, Londres, 2001.

Steiner, Rudolf, *The Child's Changing Consciousness and Waldorf Education*, Rudolf Steiner Press, Forest Row, 1988.

Steiner, Rudolf, *The Kingdom of Childhood: Foundations of Waldorf education*, Steiner Books/Anthroposophic Press, Great Barrington, 1995.

Steiner, Rudolf, *The Roots of Education*, Rudolf Steiner Press, Forest Row, 1998.

Steiner, Rudolf, *The World of the Sense and the World of the Spirit*, Steiner Books/Anthroposophic Press, New Barrington, 1979.

Steiner, Rudolf, *Understanding Young Children: Extracts from lectures*, International Association of Waldorf Kindergartens, Stuttgart, 1975.

Steiner, Rudolf, *et al.*, *Extending Practical Medicine: Fundamental Principles Based on the Science of the Spirit*, Rudolf Steiner Press, Forest Row, 2000.

Steiner, Rudolf, y Harwood, A.C., *Study of Man: General education course*, Steiner Press, Londres, 2004.

Tower, R. B., y Singer, J. L., «Imagination, Interest and Joy in Early Childhood», en P. E. McGhee y A. J. Chapman, eds., *Children's Humour*, John Wiley, Hoboken, 1980.

Wood, Elizabeth, y Attfield, Jane, *Play, Learning and the Early Childhood Curriculum*, Paul Chapman Publishing, 1996.

Woodhead, Martin, *et al.*, eds., *Cultural Worlds of Early Childhood: Child development in families, schools and societies*, Routledge, Londres, 1998.

Zahlingen, Bronja, *A Lifetime of Joy*, WECAN Books, Spring Valley, 2005.

Para más información sobre la Alianza para la Infancia (Alliance for Childhood), consúltese: www.allianceforchildhood.org.uk.

Agradecimientos

Agradecimientos del autor
Queremos dar las gracias a todos aquellos que, voluntaria e involuntariamente, nos han ayudado, inspirado y aconsejado: los compañeros de trabajo, padres e hijos.

Agradecimientos fotográficos
Fotografía especial © Octopus Publishing Group Limited/Mike Prior

Agradecimientos del editor
El editor quiere dar las gracias a Janni Nicol, por hacer los juguetes de este libro, con la ayuda y el apoyo de su marido Simon; a Fiona White, por hacer las marionetas y los aros; y también a todos los niños fotografiados en este libro (y a sus padres y tutores por acompañarlos): Ariele Long, Ava Hubbard, Betty McDonald, Caitlin Smith, Cyrus Couchman-Kosir, Eva Lykourgiotis, Lola Sedelmeier, Maia Solomon, Matthew Ellis, Oliver Reynolds, Owen William Davies, Rima Couchman-Kosir, Robert James, Rosie James, Theo Solomon, Ziggy Aplin.

Se has hecho todos los esfuerzos por localizar a los titulares de los derechos de edición de los fragmentos que en este libro se reproducen. El editor pide disculpas por cualquier error u omisión que pueda haber, y agradecería que se le comunicaran las correcciones que puedan incorporarse en futuras reimpresiones o reediciones del libro. Los fragmentos se han reproducido con el permiso de los siguientes editores:
p.9: Rudolf Steiner, *et al.*, *Extending Practical Medicine*, Rudolf Steiner Press, Forest Row, 2000.
p.21: Rahima Baldwin Dancy, *You are Your Child's First Teacher*, Ten Speed Press, Berkeley, 2000, y Hawthorn Press, Stroud, 2006.
p.25: Rudolf Steiner, *The Child's Changing Consciousness and Waldorf Education*, Rudolf Steiner Press, Forest Row, 1988.
p.42: Johan Huizinga, *Homo Ludens*. Copyright © 1950 by Roy Publishers. Reimpreso con permiso de Beacon Press, Boston.
p.42: Bruno Bettelheim, *The Uses of Enchantment*. Copyright © 1975, 1976 por Bruno Bettelheim. Publicado por primera vez en Reino Unido en 1976 Thames & Hudson Ltd., Londres, y en Estados Unidos y Canadá por Aldred Knopf Inc.
p.44: Rudolf Steiner, *The Kingdom of Childhood*, Steiner Books/Anthroposophic Press, Great Barrington, 1995.
p.55: Rudolf Steiner, *The Roots of Education*, Rudolf Steiner Press, Forest Row, 1998.
p.81: Bronja Zahlingen, *A Lifetime of Joy*, Waldorf Early Childhood Association of North American (WECAN) Books, Spring Valley, 2005.
p.93: Fragmento de Joseph Chilton Pearce, extraído de www.ttfuture.org con el permiso de Michael Mendizza.
p.98: Rudolf Steiner, *The World of the Sense and the World of the Spirit*, Steiner Books/Anthroposophic Press, New Barrington, 1979.
p.106: Con el permiso de Floris Books. De Irmgard Kutsch y Brigitte Walden, *Nature Activities for Children*, Floris Books, Edimburgo, 2007.

Edición: Jessica Cowie
Editora sénior: Fiona Robertson
Edición artística: Leigh Jones
Diseño: Jo Tapper
Ilustraciones: Kate Simunek
Dirección de producción: Simone Nauerth
Creación de juguetes: Janni Nicol